图书在版编目(CIP)数据

100首水歌曲/蔡正林主编. —南京：河海大学出版社，2009.3

(水文化教育丛书/郑大俊，鞠平总主编)

ISBN 978-7-5630-2546-6

Ⅰ. 1… Ⅱ. 蔡… Ⅲ. 歌曲—中国—选集 Ⅳ. J642

中国版本图书馆CIP数据核字(2009)第042840号

书　　名 100首水歌曲
书　　号 ISBN 978-7-5630-2546-6/J·52
责任编辑 朱婵玲
特约编辑 陈静星　管　宁
责任校对 苏　珊　刘书含
装帧设计 南京千秋企划广告有限公司
出版发行 河海大学出版社
经　　销 江苏省新华发行集团有限公司
地　　址 南京市西康路1号(邮编:210098)
电　　话 (025)83737852(行政部)
(025)83722833(发行部)
(025)83786934(编辑部)
排　　版 南京理工大学印刷厂
印　　刷 南京工大印务有限公司
开　　本 750毫米×1020毫米　1/16
印　　张 16.5
字　　数 279千字
版　　次 2009年7月第1版
印　　次 2009年7月第1次印刷
定　　价 680.00元/套(共10册)

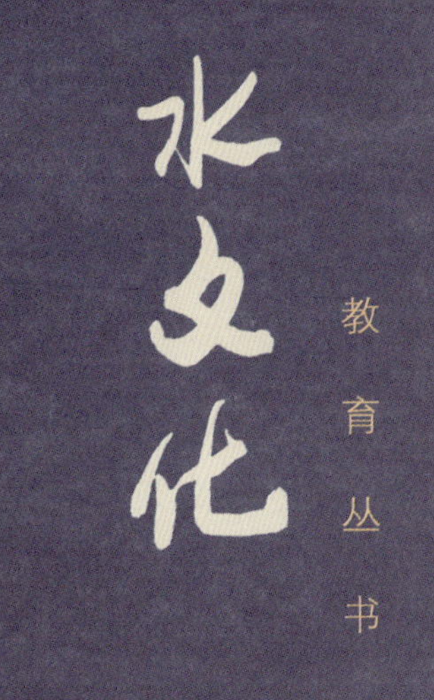

总策划

张长宽

总主审

林萍华

总主编

郑大俊　鞠　平

副总主编

吴胜兴　王如高　李乃富

水歌曲100首

主编 蔡正林
副主编 刘兴平 沈俐

弘扬先进水文化，促进水利事业又好又快发展

——《水文化教育丛书》序言

文化是民族的血脉和灵魂，是国家发展、民族振兴的重要支撑。一个民族的文化，凝聚着这个民族对世界和生命的历史认知和现实感受，积淀着这个民族最深层的精神追求和行为准则。党的十七大把文化建设摆在更加突出的位置，对兴起社会主义文化建设新高潮、推动社会主义文化大发展大繁荣作出了全面部署。先进水文化是中华优秀文化的重要组成部分。弘扬和建设先进水文化，为水利事业又好又快发展提供文化支撑，是摆在我们面前的一个重大而紧迫的课题。

我国是一个拥有悠久治水历史的国家，在中华民族五千年文明史中，我们的祖先创造了光辉灿烂的水文化。这些文化，有的以物质形态存在，如都江堰、大运河、坎儿井等举世闻名的水利工程，以及水利工程技术、治水器械工具等物质产品；有的以

制度形态存在，如以水为载体的风俗习惯、宗教仪式、社会关系和社会组织、法律法规；有的以精神形态存在，如对水的认识、有关水的价值观念、与水相关的文化心理和文化特征等。这些璀璨的水文化，已经深深熔铸在中华民族的血脉之中，成为民族生存发展和国家繁荣振兴取之不尽、用之不竭的力量源泉。

新中国成立之后，党和国家领导人民进行了规模空前的水利建设，取得了辉煌的成就。特别是1998年特大洪水以后，水利部党组认真贯彻落实科学发展观，按照全面建设小康社会和构建社会主义和谐社会的要求，根据中央水利工作方针，认真总结经验教训，尊重基层和群众的实践创造，与时俱进地提出了可持续发展的治水思路，进行了一系列卓有成效的探索，开启了水利实践的新征程，为水文化建设注入了新的时代内涵。人与自然和谐的治水理念、以人为本的治水宗旨，扬弃了我国传统的治水文化观念，体现了科学发展观的要求；一大批水利水电工程的建设，有力地保障了经济社会发展，激发了民族自豪感，为当代和后人积累了宝贵的物质和精神财富；水利科技创新的突破，水利信息化的推进，显著提升了我国水利的科技含量和现代化水平，武装和改造了传统水利；节水防污型社会建设的深入开展，依法治水的不断推进，促进了传统治水方式和水管理制度的深刻变革；“献身、负责、求实”的水利行业精神，“万众一心、众志成城，不怕困难、顽强拼搏，坚韧不拔、敢于胜利”的伟大抗洪精神，体现了民族精神的精华，丰富了时代精神和社会主义核心价值体系的内涵。这是水文化传统与新时期水利实践相结合的丰硕成果，必将永远激励着我们不断奋斗前进。

当前和今后一个时期，是全面建设小康社会的关键时期，也是传统水利向现代水利转变的关键时期。我们要把科学发展观的根本要求与可持续发展的治水思路的探索实践结合起来，把全面建设小康社会的宏伟蓝图与水利发展的长远目标结合起来，把人民群众过上更好生活的新期待与水利工作的着力点结合起来，进一步增强水利对经济社会发展和改善民生的保障能力，不断创造无愧于时代要求的先进水文化，推动社会主义文化大发展大繁荣。要深入挖掘和弘扬传统水文化的丰富内涵，努力在继承优秀水文化传统的基础上铸造先进水文化；要善于从当今时代波澜壮阔的水利实践中汲取新鲜养分，努力展现先进水文化鲜明的时代特征和强烈的时代气息，更好地适应水利发展与改革的需要；要把培育和弘扬水利行业精神作为建设先进水文化的重要任务，努力把先进水文化更好地融入社会主义核心价值体系之中，激发广大水利干部职工投身水利实践的热情和干劲。

弘扬和建设先进水文化，要坚持研究与教育相结合、普及与提高相结合、继承与创新相结合，向全行业、全社会展示水文化研究成果，普及水文化基本知识，开展水文化宣传教育，不断推动水文化建设在服务水利发展与改革中取得新的实效。我们很高兴地看到，河海大学充分发挥学科优势和学术实力，组织了一批专家、学者，从水利名人、江河湖泊、咏水诗文、城市与水、水工程、水灾害、水用具、水景观、水传说、水歌曲等诸多方面，精心梳理、深入挖掘、全面概括千百年来人类水文化的积淀，编写了《水文化教育丛书》。这套丛书系统地介绍了优秀的传统水文化，宣传了可持续发展的治水思路，展示了水利发展与改革成就，彰显了水利精神，是水利宣传的良好平台、文化传播的优秀载体。希望以《水文化教育丛书》的出版为契机，把水文化的研究和建设推向一个新的阶段，拓宽水利视野，更新治水理念，弘扬水利精神，推进传统水利向现代水利转变。同时也希望通过广泛而深入的水文化教育，呼唤全社会进一步关注水、珍惜水、爱护水，关心水利、支持水利、参与水利，共同谱写水利发展与改革的新篇章。

陈雷

二〇〇八年三月廿八日

前言

人类对水的歌唱，亘古以来就没有停歇。《西洲曲》里称道“莲子清如水”。孔子站在江边看见大江日夜奔流，发出了一声深深的叹息：“子在川上曰，逝者如斯夫，不舍昼夜。”李白对水有着深邃的体验：“抽刀断水水更流”，这便是水的神奇之处。辛弃疾直抒“楚天千里清秋，水随天去秋无际”，凸显了人在自然界的渺小。而曹雪芹在《红楼梦》中的一句“女人是水做的”，更是鞭辟入里。

有人说，历史是歌的书写，歌是历史的凝结。人类诞生以来，每个时期都产生了许多脍炙人口、影响深远的以“水”为代表性的歌曲。其实，人类对水的歌唱，何尝不是人类对自身的感叹。每一首歌都浓缩着不同历史时期的时代精神，每个旋律都代表着不同人民的心声。这些歌优美动人，词意隽永，蕴含了哲理，融化了爱情，迸发了力量。

河，孕育文明；海，凝聚智慧。人们歌唱水，也撷取水的精华，以陶冶情操，洗濯灵魂，追求升华。大禹为了治水三过家门而不入，这是一种献身精神；李冰父子在都江堰，“深淘滩、低作堰”，造就了美丽富饶的成都平原，这是一种求实精神；林则徐以一句“苟利国家生死以，岂因祸福避趋之”，遍走南疆，发明了著名的坎儿井，这是一种负责精神。这精神激励着一代代中华儿女，不断拼搏进取，创造奇迹，“高峡出平湖”，“天堑变通途”，这是何等的豪迈。然，精神的传承需要一代又一代的华夏儿女，当代大学生，是时代的骄子，国家的希望，肩负着时代赋予的重任，应该具有更高的道德修养与精神境界，用“水”之精神去历练其高尚品格，培养其高雅气质，是一条具有鲜明特色的途径。

我们从古今中外水歌曲中精心选出 100 首，编成本书。希望能以一曲曲“水”之韵律，传递对往事的追忆情感；能够使当代大学生与岁月同行，直面历史，回答从历史不同时空里发出的呼唤和呐喊，唤起其强烈的历史责任感与使命感，从而更加珍惜当下所拥有的一切，热爱生活，读懂生活，感谢所有生活的馈赠，保持昂扬向上的生活态度与精神状态，不断地奋发图强，创造美好的未来。但古往今来，描写水的歌曲非常之多，国内的、国外的，通俗的、流行的，囿于100的数字，我们不得不有所割爱。

每篇歌曲在收录时，我们曾想把一些反映本歌曲创作背景的资料辑录进来，但由于所掌握资料有限，也未能做到。

蔡正林、刘兴平、沈俐、郈静、倪斌彬参与了本书的编写工作；戴司南、孙佳佳、缪明明、袁善水、刘丹参与了本书的资料收集工作。

对我们来说，这次编写工作是一次新的尝试，也是一次受教育、长知识的过程，我们也享受到了参与其中的乐趣。

希望本书能带给大学生们美的享受，也希望大学生们在歌唱“水”中得到感悟和启迪。同时，真诚地欢迎来自专家、学者和大学生的批评指正。

编　者

2008年春

目 录

肆 土黄色遐想

伍 碧绿色咏叹

陆 蔚蓝色梦幻

柒 斑斓的色彩

灰白色追忆

1. 观 沧 海

1=F $\frac{4}{4}$

中速 稍慢

曹 操 词
魏 群 曲

(3 5·6 5 56 1 | 6161 216 5 –) | 52 05 321. |

东临 碣石，

26 02 765. | 16 5 3·23 | 31̇ 653 52. |

以观 沧海。 水何 澹 澹， 山岛竦 峙。

52 05 321. | 26 02 765. | 1·2 65 53 2 |

树木 丛生， 百草 丰茂。 秋 风 萧瑟，

16 352 3 – | 5·5 5 35 6. 5 | 65 356 1 – |

洪波涌 起。 日 月之 行， 若出其 中；

2 2 13 2 | 5 35 13 2 – | 3 5·6 5 561 |

星 汉 灿 烂， 若出其 里。 幸 甚 至哉，

61 216 5 – | 3 5·6 5 561 | 61 216 5 – | 5 – – 0 ‖

歌以咏 志。 幸 甚 至哉， 歌以咏 志。

2. 将 进 酒

1=C $\frac{2}{4}$

李 白 词
阎 勇 曲

1. 1 1 | 1. 7 6 7 | 1 2 1 | 1. 7 6 7 | 1 2 5 |
君 不见 黄 河之水 天上 来， 奔 流到海 不复 回。

6. 6 6 | 6. 5 4 5 | 6 1 7 | 6 5 4 3 | 2 3 5 4 |
君 不见 高 堂明镜 悲白 发， 朝如 青丝 暮 成

3 - | 3 - | 5 5. | 5 3 | 5 6 |
雪。 人生 得 意 须 尽

6 - | 6 6. | 6 5 | 1 2 | 2 - |
欢， 莫使 金 樽 空 对 月。

3. 2 1 2 | 3 - | 2 2 | 1 - | 1. 7 6 7 |
天 生我 材 必 有 用， 千 金散尽

1 2 | 5 - | 5 - | 6 6 5 | 1 1 |
还 复 来。 烹羊 宰 牛

6 5 6 | 3 - | 6. 6 6 5 | 6 1 | 2 - |
且 为 乐， 会 须一饮 三 百 杯。

2 - | 3 3 3 | 2 2 2 | 1 1 6 | 2 1 2 5 |
岑 夫子， 丹丘 生， 将 进酒， 杯莫 停。

6 6 5 | 1 5 6 | 3 - | 3 - | 3 5 6 1 |
与君 歌 一 曲， 请君 为我

2̇ i̇ | 2̇ – | 2̇ – | 3̇. 2̇ i̇ 2̇ | 3̇ – |
倾 耳 听。 钟 鼓馔 玉

2̇ 2̇ | i̇ – | i̇. 7 6 7 | i̇ 2̇ | 5 – |
不 足 贵， 但 愿长醉 不 复 醒。

5 – | 6 6 5 | i̇ i̇ | 6 5 6 | 3 – |
古来 圣 贤 皆 寂 寞，

6. 6 6 5 | 6 i̇ | 2̇ – | 2̇ – | 3̇. 2̇ i̇ 2̇ |
惟 有饮者 留 其 名。 陈 王昔

3̇ – | 2̇ 2̇ | i̇ – | i̇. 7 6 7 | i̇ 2̇ |
时 宴 平 乐， 斗 酒十千 恣 欢

5 – | 5 – | 6 6 5 | i̇ i̇ | 6 5 6 |
谑。 主人 何 为 言 少

3 – | 6. 6 6 5 | 6 i̇ | 2̇ – | 2̇ – |
钱， 径 须沽取 对 君 酌。

3̇ 3̇ 3̇ | 2̇ 2̇ 2̇ | i̇. i̇ i̇ 6 | 2̇ i̇ 2̇ 5 | 6 6 5 |
五 花马， 千金 裘， 呼 儿将出 换美 酒， 与尔

i̇ 2̇ | 3̇ – | 3̇ – | 2̇ 2̇ | i̇ – ‖
同 销 万 古 愁。

3. 望洞庭

刘禹锡 词
阎 勇 曲

1=G $\frac{3}{4}$

5 3 1 | 3 1 5̣ | 6̣ 7̣ 6̣ | 5̣ - - |

湖 光 秋 月 两 相 和，

5̣ 1 3 | 1 3 5 | 4 3 1 | 2 - - |

潭 面 无 风 镜 未 磨。

3 5 3 | 1 3 1 | 7̣ 6̣ 5̣ | 6̣ - - |

遥 望 洞 庭 山 水 翠，

5̣ 1 3 | 5 3 1 | 5̣ 7̣ 2 | 1 - - ‖

白 银 盘 里 一 青 螺。

4. 我住长江头

1=G $\frac{6}{8}$

中速

李之仪 词
黎青主 曲

2. 3. | 5. 3. | 6. 3. | (6. 3.) | 2. 3. | 5. 3. |

我 住 长 江 头， 君 住 长 江

7. 6. | (7. 6.) | 1. 1. | 7. 6. | 3. 1. | 6. 6. |

尾， 日 日 思 君 不 见 君，

2. 3. | #4. 5. | 6. 2. | (6. 2.) | 5. 5. | 5. 6. |

共 饮 长 江 水。 此 水 几 时

6. 5. | (6. 5.) | 5. 5. | 6. 7. | 5. 5. | (2. 1.) |

休？ 此 恨 何 时 已？

1. 1. | 7. 5. | 6. 3. | 3. 5. | 2 3 1. | 7. 6 7 |

只 愿 君 心 似 我 心， 定 不 负 相 思

5. 5. | (5. 5.) | 3. 3. | #2. 6. | 6. 3. | (2. 1.) |

意。 此 水 几 时 休？

5. 5. | 6. 7. | 5. 0. | (6. 5.) | 6. 6. | 7. 6. |

此 恨 何 时 已？ 只 愿 君 心

渐慢

2. 5. | 6. 7. | 1 1 7. | 7. 6. | 5. 5. | 5. 4. |

似 我 心， 定 不 负 相 思 意。

原速

3. 3. | #2. 6. | 6. ⌒ 3. | (2. 1.) | 5. 5. | 6. 7. |

此 水 几 时 休？ 此 恨 何 时

5. 0. | (6. 5.) | 1̇. 1̇. | 7. 5. | 6. 3. |

已？ 只 愿 君 心 似 我

渐慢

3. ⌒ 5. | 6 7 6. | 2̇. 1̇. | 1̇. ⌒ 1̇. | ⌒ 1̇. ⌒ 1̇.𝄐 ‖

心， 定 不 负 相 思 意。

5. 滚滚长江东逝水

电视剧《三国演义》片头曲

杨　慎 词
谷建芬 曲

1=♭D $\frac{4}{4}$

滚滚长江东逝水，浪花淘尽英

雄。是非成败转头空；

青山依旧在，几度夕阳红。

白发渔樵江渚上，

惯看秋月春风。一壶浊酒

喜相逢，古今多少事，都付笑

谈中。中

6. 大禹治水

1=C $\frac{4}{4}$ $\frac{3}{4}$ $\frac{2}{4}$

深情、有气势地

三丫　海雄 词
赵　季　平 曲

渐强

你可知道 哎，黄河之水天上来。
你可知道 哎，寸草之心天地情。

你可知道 哎，滔滔奔流谁主宰。
你可知道 哎，沧海一粟都是爱。

快一倍

渐强

谁领着百川归大海？
谁爱惜自然如爱己？

谁把那山水巧安排？
谁把那天人合一悟明白？

（合）一心护生灵，两脚断山脉，
（合）闲时多栽树，公德减天灾，

三过家门而不入，四千年痴心不改。
洪水化作甘甜露，家园从此好气派。

慢一倍

（独）大禹，大禹，
（独）大禹，大禹，

接过你的烈酒，我们对饮开怀。
听着你的话语怎能不无限感慨。

大禹，大禹，千年热泪让他尽情
大禹，大禹，世界本由人类

流出来。哎哎哎
来主宰。

哎哎哎

(6 2̇ 3̇ 5 35 6) | 1̇ 3̇. 5̇ 2̇ 6̇. |1. 6̇ - - - :‖

流出来。

来主宰。

|2. 6̇ - - - | 6̇ - - - ‖

7. 渔光曲

电影《渔光曲》主题歌

安娥 词
任光 曲

1=G 4/4

(1 - - 5 | 2 - - 5 | 5 - - 3 |

1 - - 0) | 1 - - 5 | 2 - - 5 |

1. 云 儿 飘 在
2. 东 方 现 出

5 - - 3 | 2 - - - | 3 - - 2 |

海 空, 鱼 儿
微 明, 星 儿

6 - - 2 | 1 - - 6 | 5 - - - |

藏 在 水 中,
藏 在 天 空,

6 - - 5 | 1 - 1 6 | 5 - - 3 5 |

早 晨 太 阳 里 晒 渔
早 晨 渔 船 儿 返 回

6 - - - | 5 - - 3 | 6 - 6 3 |

网, 迎 面 吹 过 来
程, 迎 面 吹 过 来

2 - - 5 | 1 - - 0 | (1 - - 5 |

大 海 风。
送 潮 风。

水文化教育丛书

2 - - 5 | 5 - - 3 | 1 - - 0) |

6 - - 5 | 1 - - 6 | 2 - - 1 |

潮 水 升， 浪 花

天 已 明， 力 已

3 - - - | 5 - 6 3 | 2 - 2 3 |

涌， 渔 船 儿 漂 漂

尽， 眼 望 着 渔 村

6 - 6 3 | 5 - - - | 6 - - 1 |

各 西 东。 轻 撒

路 万 重。 腰 已

2 - - - | 3 - - 56 | 3 - - - |

网， 紧 拉 绳，

酸， 手 也 肿，

6 - 6 3 | 2 - 2 3 | 5 - 6 6 |

烟 雾 里 辛 苦 等 鱼

捕 得 了 鱼 儿 腹 内

1 - - 0 | (1 - - 5 | 2 - - 5 |

踪。

空。

5 - 6 6 | 1 - - 0) | 1 - - 2 |

鱼 儿

鱼 儿

6 – – 5 | 3 – – 2 | 3 – – – |
难 捕 租 税 重，
捕 得 不 满 筐，

5 – – 2 | 3 – – 2 | 5 – – 3 |
捕 鱼 人 儿 世 世
又 是 东 方 太 阳

2 – – – | 5 – – 6 | 1 – 2 6 |
穷， 爷 爷 留 下 的
红， 爷 爷 留 下 的

3 – 2 5 | 3 – – – | 5 – – 5 |
破 渔 网， 小 心
破 渔 网， 小 心

6 – 5 3 | 2 – – 5 | 1 – – 0 ‖
再 靠 它 过 一 冬！
再 靠 它 过 一 冬！

8. 汴水流

《江山风雨情》片尾曲

朱苏进 词

许舒亚 曲

1＝D $\frac{4}{4}$

（女）汴水流，泗水流，

流到瓜洲古渡头。

情哥哥，慢些走，

妹妹等你在楼外楼，

楼外楼。

（男）汴水流，泗水流，

瓜洲有渡没有头哇。

情妹妹，亲一口，

哥哥喂你哥哥喂你盅交杯酒哇，

交杯酒。

（女）汴水 流， 泗

（男）汴 水 流哇，

水 流， 瓜洲有 渡 没有 头哇。 情哥

泗 水流 哇，瓜洲有 渡 没有 头哇。

哥， 亲 一 口， 妹妹喂 你

情妹 妹， 亲 一 口，

盅交 杯酒哇， 交 杯

哥哥喂 你 盅交 杯酒哇， 交 杯

酒 哇。 汴水 流， 泗

酒 哇。

5 3 3 3 - 0 | 6 i 7 6 6 1 2 | 353 3 - - |

水 流， 流到 瓜洲 古渡 头。

0 0 0 0 | 0 0 0 0 | 0 0 0 6 i |

情妹

0 0 0 0 | 0 0 0 0 | 0 3 3 3 5 3 3 |

妹妹 等 你

2 - - 0 2 3 | 5. 3 3 - - | 0 0 0 0 |

妹， 慢 些 走，

3 0 0 0 | 0 5 3 6 2 5 3 | 7 - - - |

在 楼 外 楼， 等 你

0 6 6 i 2 6 6 | 0 5 3 6 2 5 3 | 7 - - - |

哥哥 等 你 在 楼 外 楼， 等 你

7 0 2 7 3 3 | 5 6 6 - - | 6 - - ‖

在 楼 外 楼。

7 0 2 5 3 3 | 5 6 6 - - | 6 - - ‖

在 楼 外 楼。

朱红色回味

9. 飞越大渡河

选自《长征组歌》

萧 华 词

晨耕 生茂
唐诃 遇秋 曲

1=♭B 2/4

战斗气氛 急促地

(6 - | 6 - | 5. 3 | 6712 3217 | 6543 2176 |

6 - | 5. 3 | 6712 3217 | 6543 2176 | 6 5. 3 |

6 5. 3 | 67 67 | 67 67 | 6 67 16 | 26 16 |

6 67 16 | 26 16 | 33#4 53 | 63 53 | 33#4 53 | 63 53 |

6 67 16 | 26 16 | 6 67 16 | 26 16 | 3 6 6 | 1 6 6 |

3 6 6 | 1 6 6 | 36 16 | 36 16 | 36 16 | 36 16) |

女高 5/3 - | 3 - | 5/3 - | 5/3 - | 3/2 - | 2 - |

女低 7 - | 7 - | 7 - | 7 - | 6 - | 6 - |
6 - | 6 - | 6 - | 6 - |

咳 咳 咳 咳

男高 5/3 - | 3 - | 5/3 - | 5/3 - | 3/2 - | 2 - |
7 - | 7 - | 7 - | 7 - |

男低 3 - | 3 - | 3 - | 3 - | 6 - | 6 - |

| (3)2̇ – | (3)2̇ – | (5)3̇ – | 3̇ – | (5)3̇ – | (5)3̇ – |

| 6 – | 6 – | 7 – / 6 – | 7 – / 6 – | 7 – / 6 – | 7 – / 6 – |

咳 咳 咳 咳 咳

| (3)2̇ – | (3)2̇ – | (5)3̇ – / 7 – | 3̇ – / 7 – | (5)3̇ – / 7 – | (5)3̇ – / 7 – |

| 6 – | 6 – | 3 – | 3 – | 3 – | 3 – |

| 6̇ – | 6̇ – | 6̇ – | 6̇ – | 5̇0 0 | 3̇0 0 |

| 1̇ – / 6 – | 1̇ – / 6 – | 1̇ – / 6 – | 1̇ – / 6 – | 2̇0 0 | 60 0 |

咳 咳 咳 咳

| 3̇ – / 1̇ – | 3̇ – / 1̇ – | 3̇ – / 1̇ – | 3̇ – / 1̇ – | 5̇0 0 | 3̇0 0 |

| 6 – | 6 – | 6 – | 6 – | 2̇0 0 | 60 0 |

5̇0 0	3̇0 0	3̇ –	3̇ –	3̇ –	3̇ –	3̇ 0
2̇0 0	60 0	7 –	7 –	7 –	7 –	7 0
咳	咳	咳				
5̇0 0	3̇0 0	3̇ –	3̇ –	3̇ –	3̇ –	3̇ 0
2̇0 0	60 0	7 –	7 –	7 –	7 –	7 0

转1＝F（前6＝后2）

(2 4 3 2 | 2 4 3 2 | 3 5 4 3 | 3 5 4 3 | 5♭765 5765 |

5♭765 5765 | 6i76 6i76 | 6i76 6i76 | 6 i 7 6 | 5 #4 3 2 |

1 3 2 1 | 7 6 5 #4 | 3#434 3434 | 3#434 3434)

女男高 | 6 6 5 | 6·7 6 | 3 3 2 | 3·5 3 | 5 5 3 | 2·3 5 |

水湍急呀，山峭耸啊，雄关险哪，

女男低 | 6 6 5 | 6·7 6 | 3 3 2 | 3·5 3 | 5 5 3 | 2·3 5 |

3 3 5 | 2.1 6 | 6. 6 | 5 3 | 2 3 5 | 6 6 |

豺狼　凶　啊。健　儿　巧　渡　金沙　江　哪，

3 3 5 | 2.1 6 | 3. 3 | 2 1 | 6 1 3 | 2 2 |

6. 6 | 5 3 | 2 3 5 | 3 3 | 5. 3 | 2 2.1 |

兄　弟　民　族　夹道　迎　啊。健　儿　巧　渡

3. 3 | 2 1 | 6 1 5 | 6 6 | 3. 3 | 2 2.1 |

6 1 3 | 2 2 | 5. 3 | 2 3.5 | 1 2 1 | 6 6 |

金沙　江　哪，兄　弟　民　族　夹道　迎　啊。

6 6 1 | 2 2 | 3. 3 | 2 3.2 | 1 2 1 | 6 6 |

女高　0 0 | 6 65 6 6 | 0 0 | 3 32 3 3 | 0 0 | 2 23 5 5 |

水湍 急呀，山峭 耸啊，雄关 险哪，

女低　0 0 | 6 65 6 6 | 0 0 | 3 32 3 3 | 0 0 | 2 23 5 5 |

男高　6 6 5 | 6. 7 6 | 3 3 2 | 3. 5 3 | 5 5 3 | 2. 3 5 |

水湍　急　呀，山峭　耸　啊，雄关　险　哪，

男低　6 6 5 | 6. 7 6 | 3 3 2 | 3. 5 3 | 5 5 3 | 2. 3 5 |

0 0 | 2 21 6 6 | ⁵3 ⁵3 | 5 32 3 3 | ⁵3 ⁵3 | 2 12 6 6 | ⁵3 ⁵3 |

豺狼 凶啊。(哟 哟) 健儿 巧渡(哟 哟) 金沙 江哪,(哟 哟)

0 0 | 2 21 6 6 | ⁵3 ⁵3 | 5 32 3 3 | ⁵3 ⁵3 | 2 12 6 6 | ⁵3 ⁵3 |

3 3 5 | 2· 16 | 6· 6 | 5 3 | 2 3 5 | 6 6 | 6· 6 |

豺狼 凶 啊。 健 儿巧 渡 金沙 江 哪, 兄 弟

3 3 5 | 2· 16 | 3· 3 | 2 1 | 6 1 3 | 2 2 | 3· 3 |

5 32 3 3 | ⁵3 ⁵3 | 5 3 5 6 6 | 5· 3 | 2 2·1 | 6 1 3 | 2 2 |

兄弟 民族 (哟 哟) 夹道 迎啊。健 儿 巧 渡 金沙 江 哪,

5 32 3 3 | ⁵3 ⁵3 | 5 3 5 6 6 | 3· 3 | 2 2·1 | 6 6 1 | 2 2 |

5 3 | 2 3 5 | 3 3 | 5· 3 | 2 2·1 | 6 1 3 | 2 2 |

民 族 夹道 迎 啊。健 儿 巧 渡 金沙 江 哪,

2 1 | 6 1 5 | 6 6 | 3· 3 | 2 2·1 | 6 6 1 | 2 2 |

渐慢

5. 3 | 2 3.5 | 1 2 1 | 6 - | 0 0 | 0 0 | 0 0 |

兄 弟

3. 3 | 2 3.2 | 1 2 1 | 6 - | 0 0 | 0 0 | 0 0 |

民 族 夹 道 迎。

有力 稍慢

5. 3 | 2 3.5 | 1 2 1 | 6 - | 6 6 5 | 6.7 6 | 3 3 2 |

兄 弟 安顺 场 边 孤舟

3. 3 | 2 3.2 | 1 2 1 | 6 - | 6 6 5 | 6.5 6 | 3 3 2 |

渐快 原速

男高 3.5 3 | 5 5 3 | 2.3 5 | 3 3 5 | 2.1 6 | 6 6 5 |

勇 啊, 踩波 踏 浪 歼 敌 兵 啊。 安顺

男低 3.2 3 | 5 5 3 | 2.3 5 | 3 3 5 | 2.1 6 | 6 6 5 |

女高 6 35 6 6 | 0 0 | 5 32 3 3 | 0 0 | 2 23 5 5 | 0 0 |

安顺 场边 孤舟 勇啊, 踩波 踏浪

女低 6 35 6 6 | 0 0 | 5 32 3 3 | 0 0 | 2 23 5 5 | 0 0 |

男高 6. 7 6 | 3 3 2 | 3. 5 3 | 5 5 3 | 2. 3 5 | 3 3 5 |

场 边 孤舟 勇 啊, 踩波 踏 浪 歼敌

男低 6. 5 6 | 3 3 2 | 3. 2 3 | 5 5 3 | 2. 3 5 | 3 3 5 |

2 21 6 6 | 6. 6 | 5 3 | 2 3 5 | 6 6 | 6. 6 |

歼敌 兵啊。昼 夜 兼 程 二百 四 啊, 猛 打

2 21 6 6 | 3. 3 | 2 1 | 6 1 3 | 2 2 | 3. 3 |

6 – | 6 i.2 | 6 – | 6 5.6 | i – |

嘿 哟啰 嘿 哟啰 嘿

2. 1 6 | 6. 6 | 5 3 | 2 3 5 | 6 6 | 6. 6 |

兵 啊。 昼 夜 兼 程 二百 四 啊, 猛 打

2. 1 6 | 3. 3 | 2 1 | 6 1 3 | 2 2 | 3. 3 |

5 3 | 2 3 5 | 3 3 | 5. 3 | 2 2.1 | 6 1 3 |

穷 追 夺 泸 定 啊。铁 索 桥 上 显 威

2 1 | 6 1 5 | 6 6 | 2. 3 | 2 2.1 | 6 6 1 |

i i.2 | 6 5.6 | i 6.i | 2 – | 2 6.i | 2 – |

哟啰 嘿 哟啰 嘿 哟啰 嘿 哟啰 嘿

5 3 | 2 3 5 | 3 3 | 5. 3 | 2 2.1 | 6 1 3 |

穷 追 夺 泸 定 啊。铁 索 桥 上 显 威

2 1 | 6 1 5 | 6 6 | 2. 3 | 2 2.1 | 6 6 1 |

风 啊，勇 士 万 代 留 英 名 啊。 嘿 啰

嘿啰

哟 啰 嘿 哟 啰 嘿 哟 啰 嘿啰 嘿啰 嘿 啰 嘿 嘿 啰

风 啊，勇 士 万 代 留 英 名 啊。 嘿 啰

突慢

歌颂地

转 1= C (前5 =后i)

嘿 铁 索 桥 上 显 威 风，

嘿 啰 嘿 啰 嘿 啰

嘿 啰

嘿 啰

嘿 铁 索 桥 上 显 威 风，铁 索

嘿 啰 嘿 啰 嘿 啰

勇士 万 代 留英名， 万

桥上 显威 风，勇士 万 代 留英名，勇士万代 留英 名， 万

代 留 英 名。

代 留 英 名。

10. 北戴河·浪淘沙

1=♭E $\frac{4}{4}$

♩=95

毛泽东 词

劫 夫 曲

大雨落幽燕，白浪滔天，秦皇岛外打鱼船。一片汪洋都不见，知向谁边？

往事越千年，魏武挥鞭，东临碣石有遗篇。萧瑟秋风今又是，换了人间。

11. 四渡赤水出奇兵

长征组歌《红军不怕远征难》选曲

萧　华 词

晨耕　生茂
唐诃　遇秋 曲

1=F $\frac{4}{4}$ $\frac{2}{4}$

稍慢　坚毅地

(6 567 6 - | 6 - | 3 235 3 - | 3 - 0 6 1 3 |

亲切、真挚地

6 567 6 1 3 5 | 6 i 2 3 5) | 6 567 6 - |

(女独) 横　断　山，

5 67 6 56 3 - | 3 6. 76 6 5 3 | 2 35 3. 2 2 2 16 |

路　难　行。　天　如　火来　水　似　银，

2. 3 5 35 2 03 2 16 | 5. 6 1621 1 6 0 5 | $\frac{2}{4}$ 6 - |

天　如　火　来　水　似　银　哪！

女独 | 0 0 6 56 7 | 6 - 567 656 | 3 - 3 6.7 |

横断　山，　路　难　行。　天　如

男、女高 pp | 6 5 6 7 6 - | 567 656 3 - | 3 6.7 6 6 53 |

横断　山，　路　难　行。　天　如　火　来

男、女低 pp | 6 5 6 2 3 - | 532 123 6 - | 3 3.2 1 6 61 |

6 6 5 3 2 35 3. 2 | 2 2 16 2. 3 5 35 | 2 03 2 16 5. 6 1621 |

火来　水　似　银，　天　如　火　来　水　似

2 35 3. 2 2 2 16 | 2. 3 5 35 2 03 2 16 | 5. 6 1621 5. 6 1621 |

水　似　银，　天　如　火　来　水　似　水　似

2 12 3. 2 2 2 16 | 2. 3 5 35 2 03 2 16 | 5. 6 1621 5. 6 1621 |

水文化教育丛书

渐活跃

银 哪！

(第一遍女声、第二遍男声)

(男、女高)

银 哪！

亲人 哪，送 水

(男、女低)

来 解 渴， 军民 鱼 水 一 家

人 哪 哎！ 哎！

军民 鱼 水

一 家 人 哪！亲 人 哪， 送 水 来 解

67656 5 3 | i i65 6i | 6 53 2. 3 | 1653 2321 | 6121 1 6 |

渴，军民鱼水一家人哪！

67656 5 3 | 6 65 3 35 | 6 53 2. 3 | 1653 2321 | 6121 1 6 |

女高 6. 53 | 6. 53 | 62 i2 | i 6 5 | 6. 53 |

女低 6. 53 | 6. 53 | 65 35 | 6 6 5 | 6. 53 |

哎！ 哎！

男高 3 35661 | 6 53 23216 | 2.3 561 | 67656 5 3 | i i65 61 |

男低 3 32335 | 6 53 23216 | 2.3 535 | 67656 5 3 | 6 65 3 35 |

亲人哪，送水来解渴，军民

6. 53 | 6 2 i 2 | i 6 5 | i i65 6i |

6. 53 | 6 5 3 5 | 6 6 5 | 3 323 35 |

军民

6 53 2. 3 | 1653 2321 | 6121 1 6 | i i65 6i |

稍慢

6 53 2. 3 | 1653 2321 | 6121 1 6 | 3 323 35 |

鱼水一家人哪！

鱼 水 一 家 人 哪！ 军民鱼

水 一 家 人 哪！

稍慢

横 断 山， 路 难 行。

敌 重 兵， 压 黔 境。

中速 乐观、自豪地

敌人重兵压 黔 境。（男中音独唱） 战士双脚 走天 下，

5 35 231 | 6 21 6 | 3·3 6 6 | i 5 653 | 6·665 3 5 |
四渡 赤 水 出奇 兵。乌江天险 重飞 渡， 兵 临贵阳逼昆

(666 3636 | 666 3636)
6 - | 6 - | i·i 6 6 | 3 35 6 6 | 3·5 6 i |
明。 敌人弃甲 丢烟 枪啊， 我军乘胜

mp f 渐慢
5635 2 | 6·6 5 3 | 23 #4 3 3 | 5 5 3 235 | 3 2 1 2 6 |
赶 路 程。调虎离山 袭 金 沙呀，毛主席用 兵 真 如 神，

53 5·6 | i - | i 6i | 2 i·6 | 567 6 |
毛 主 席 用 兵 真 如 神，

原速 (666 3636 | 666 3636)
1 1 2 3 6 | 53 231 | 1 6 0 5 | 6 - | 6 - |
毛主席用兵 真 如 神哪 哎 嗨！

男、女高
6 6 3 35 | 1 21 6 | 5 35 231 | 6 21 6 | 3·3 6 6 |
战士 双脚 走天 下， 四 渡 赤 水 出 奇 兵。 乌江天险

男、女低
6 6 3 35 | 1 21 6 | 5 35 231 | 6 21 6 | 3·3 3 2 |

i 5 653 | 6·665 3 5 | 6 X | 6·665 3 5 | 6 - |
重飞 渡， 兵临贵阳 逼昆 明。咳！ 兵临贵阳 逼昆 明。

3 5 653 | 6·665 3 5 | 6 X | 6·665 3 5 | 6 - |

(男中音领唱)

| i·i 6 6 | 3 3 5 6 6 | 0 0 | 3·5 6 i |

敌人弃甲 丢烟 枪啊， 我军乘胜

| 0 0 | 0 0 i | 3 3 5 6 6 | 0 0 |

咳， 丢烟 枪啊，

| 0 0 | 0 0 6 | 1 1 2 3 3 | 0 0 |

| 5 6 3 5 2 | 0 0 | 6·6 5 3 | 2 3 #4 3 3 |

赶路 程。 调虎离山 袭 金 沙呀，

| 0 0 i | 5 6 3 5 2 | 0 0 | 0 0 |

咳， 赶路 程，

| 0 0 6 | 5 6 3 5 2 | 0 0 | 0 0 |

| 0 0 | 5 5 3 2 3 5 | 3 2 1 2 6 | 0 0 |

毛主席用 兵 真如 神，

p

| 2 3 #4 3 3 | 0 0 | 0 0 | 5 3 5·6 |

袭 金 沙呀， 毛 主

p

| 2 3 #4 3 3 | 0 0 | 0 0 | 5 3 5·6 |

| i - | i - | i· i i 6 | 2 2 i 6 i | 2 2 i6 | i· 2 i·6 |

席 毛 主席 用兵 真如 神， 用 兵

| 6 - / 3·6 | 5·5 5 3 | 6 6 5 6 7 | 6 6 5 3 | 6 6 6 5 3 | 2 3 #4 3·2 |

毛 主席 用兵 真 如 神， 毛主席用兵 真 如神，

(男中音领唱)
慢

567 6	1 1236	53 231	1 6 0 5	6 –	1 1236
真如神，	毛主席用兵	真 如	神哪！哎	嗨！	毛主席用兵
567 6	1 1236	53 231	1 6 0 5	6 –	0 0

原速（666 3636 | 666 3636 | 60 60 | 60 0）

53 231	i 6 0 5	6 –	6 –	6 –	6 00 ‖
真 如	神哪！哎	嗨！			嗨！
0 0	6605	6 –	6 –	6 –	6 00 ‖
	神哪！哎	嗨！			嗨！
0 0	6605	3 –	3 –	3 –	3 00 ‖

12. 我的祖国

电影《上甘岭》插曲

1=F 4/4 2/4

乔 羽 词
刘 炽 曲

优美、亲切地

(55 65 3. 5 | 23 161 2. 12 | 36 13 23 56 | 72 27675 –)

女高
12 65 5. 6 | 35 16 5 – | 5 65 32 3 |
一条大河 波浪宽， 风吹稻花

女低
0 0 12 65 | 1. 2 36 12 | 3 – 1 76 |
一条大河 波浪宽， 风吹

53 61 2 – | 0 0 6 – | 1 5 63 16 |
香两岸。 噢，

3. 5 75 6 | 25 31 6 56 | 26 56 3. 2 |
稻花香两岸。我家就在 岸上住，

1 22 3 55 1 65 | 56 12 4. 66 | 56 321 – | 1 0 |
听惯了艄公的号子，看惯了船上的白 帆。

555 111 312 | 3. 5 12 12 | 776 56 1 – | 1 0 |
听惯了艄公的号子，噢 看惯了 船上的白 帆。

(女独)

mf

12 65 5. 6 | 35 16 5 – | 5 65 32 3 |

1. 一条大河 波浪宽， 风吹稻花
2. 姑娘好像 花一样， 小伙心胸
3. 好山好水 好地方， 条条大路

53 61 2 - | 25 31 6 56 | 26 56 3. 2 |
香 两 岸。 我家就 在 岸 上 住，
多 宽 广。 为了开 辟 新 天 地，
都 宽 敞。 朋友来 了 有 好 酒，

1 22 3 55 i 6 5 V | 5 6 1 2 4. 66 |
听惯了艄公的号 子， 看 惯 了 船 上的
唤醒了沉睡的高 山， 让 那 河 流 改 变了
若是那豺狼 来 了， 迎 接 它 的有

女独 | 56 32 1 - | 1 0 | 0 0 0 0 |
白 帆。
模 样。
猎 枪。

(副歌)
稍快 宽阔、壮丽地

女高 | 0 0 0 0 | 0 *mf* 55 | i - 2. i |

女低 | 0 0 0 0 | 0 55 | 3 - 5. 5 |
这是 {美 丽 / 英 雄 / 强 大} 的

男高 | 0 0 0 0 | 0 *mf* 55 | 5 - 7. 7 |

男低 | 0 0 0 0 | 0 *mf* 55 | 5 - 5. 5 |

祖 国， 是我生长的 地 方，

渐慢

1. 2. *ff* 回原速

在这片{辽阔/古老/温暖}的土地 上，

到处都有明媚的风

到处都有青春的力

p

啊 土地上， 到处都有明媚的风

到处都有青春的力

p *ff*

3.

ff

5 - - - :‖ 2 7 6 5 3 5 5 6 2 | 1 - - - ‖

ff

2 - - - :‖ 5 5 4 2 1 1 1 4 3 | 3 - - - ‖

光。 到处都有和平的阳 光。

量。

ff

7 - - - :‖ 7 7 6 5 6 5 5 6 2 | 1 - - - ‖

光。 到处都有和平的阳 光。

量。

ff

5 - - - :‖ 5 5 6 5 3 1 1 2 6 | 1 - - - ‖

13. 黄河船夫曲

选自《黄河大合唱》

1=D $\frac{3}{4}$

急速 雄壮地

光未然 词
冼星海 曲

〔朗诵〕朋友!你到过黄河吗?你渡过黄河吗?你还记得河上的船夫拚着性命和惊涛骇浪搏战的情景吗?如果你已经忘掉的话,那么你听吧!

女高 f 2 - - | 2 - - | 2 - - | 2 - - |

女低 1 - - | 1 - - | 7 - - | 7 - - |

咳哟! 咳哟!

男高 2 - - | 2 - - | 2 - - | 2 - - |

男低 121 121 121 | 121 121 121 | 7 - - | 7 - - |

划 哟划 哟划 哟 划 哟划 哟划 哟

121 121 121 | $\frac{2}{4}$ 121 565 | 121 565 | 121 565 |

划 哟划 哟划 哟 划 哟,冲上 前! 划 哟,冲上 前! 划 哟,冲上 前!

121 121 121 | $\frac{2}{4}$ 0 565 | 0 565 | 0 565 |

121 121 121 | $\frac{2}{4}$ 121 565 | 121 565 | 121 565 |

划 哟划 哟划 哟 划 哟,冲上 前! 划 哟,冲上前! 划 哟,冲上 前!

121 121 121 | $\frac{2}{4}$ 0 565 | 0 565 | 0 565 |

划 哟，冲 上 前！

咳哟！ 咳哟！

划 哟，冲 上 前！

划 哟划 哟划 哟划 哟 划 哟 划 哟，

遮 满 天！ 高 如 山！

乌 云 哪， 遮 满 天！ 波 涛 哪， 高 如 山！

| 0 0 | 5 6 5 0 | 0 0 | 5 6 5 0 | 3/4 2 - - |
扑 上 脸！ 打 进 船。

| 0 0 | 5 6 5 0 | 0 0 | 5 6 5 0 | 3/4 1 - - |
咳哟！

| 1 2 1 2 6 | 5 6 5 0 | 1 2 1 2 6 | 5 6 5 0 | 3/4 2 - - |
冷 风 哪， 扑 上 脸！ 浪 花 哪， 打 进 船。

| 0 0 | 5 6 5 0 | 0 0 | 5 6 5 0 | 3/4 1 2 1 1 2 1 1 2 1 |
划 哟 划 哟 划 哟

| 2 - - | 2 - - | 2 - - | 2/4 0 0 | 5 6 5 0 |
睁 开 眼！

| 1 - - | 7 - - | 7 - - | 2/4 0 0 | 5 6 5 0 |
咳哟！

| 2 - - | 2 - - | 2 - - | 2/4 1 2 1 2 6 | 5 6 5 0 |
伙 伴 哪， 睁 开 眼！

| 1 2 1 1 2 1 1 2 1 | 7 - - | 7 - - | 2/4 0 0 | 5 6 5 0 |
划 哟 划 哟 划 哟，

0 0	5 6 5 0	0 0	5 6 5 0	0 0
	把 住 腕！		别 偷 懒！	
0 0	5 6 5 0	0 0	5 6 5 0	0 0
i 2 i 26	5 6 5 0	i 2 i 26	5 6 5 0	i 2 i 26
舵手 哪，	把 住 腕！	当心 哪，	别 偷 懒！	拚命 哪，
0 0	5 6 5 0	0 0	5 6 5 0	0 0

5 6 5 0	0 2 i2i	0 2 i2i	0 2 i2i	0 2 i2i
莫 胆 寒！	咳 划 哟！	咳 划 哟！	咳 划 哟！	咳 划 哟！
5 6 5 0	0 5 121	0 5 121	0 5 121	0 5 121
5 6 5 0	0 2 i2i	0 2 i2i	0 2 i2i	0 2 i2i
莫 胆 寒！	咳 划 哟！	咳 划 哟！	咳 划 哟！	咳 划 哟！
5 6 5 0	0 5 121	0 5 121	0 5 121	0 5 121

i i i 2 2 | i i 2 2 2 | 0 0 | 0 0 | 6. i 6 5 |

不怕那千丈 波涛高如 山！ 行 船好比

6 6 6 6 6 | 6 6 6 6 6 | 0 0 | 0 0 | 6. i 6 5 |

3 3 3 4 4 | 3 3 2 2 2 |

0 0 | 0 0 | i i i 2 2 | i i 2 2 2 | 0 0 |

不怕那千丈 波涛高如 山！

0 0 | 0 0 | 6 6 6 6 6 | 6 6 6 6 6 | 0 0 |

3 3 3 4 4 | 3 3 2 2 2 |

6535 6 0 | 0 0 | 0 0 | 0 2 i 2 i | 0 2 i 2 i |

上 火 线， 咳 划 哟！ 咳 划 哟！

6535 6 0 | 0 0 | 0 0 | 0 5 1 2 1 | 0 5 1 2 1 |

0 0 | 6. i 6 5 | 6535 6 0 | 0 2 i 2 i | 0 2 i 2 i |

团 结一心 冲 上 前！ 咳 划 哟！ 咳 划 哟！

0 0 | 6. i 6 5 | 6535 6 0 | 0 5 1 2 1 | 0 5 1 2 1 |

0 2 1 2 1 | 0 2 1 2 1 | 3/4 2 - - | 2 - - |
咳 划 哟！ 咳 划 哟！ 咳哟！

0 5 1 2 1 | 0 5 1 2 1 | 3/4 1 - - | 1 - - |

0 2 1 2 1 | 0 2 1 2 1 | 3/4 2 - - | 2 - - |
咳 划 哟！ 咳 划 哟！ 咳哟！

0 5 1 2 1 | 0 5 1 2 1 | 3/4 121 121 121 | 121 121 121 |
划 哟 划 哟 划 哟 划 哟 划 哟 划 哟

2 - - | 2 - - | 121 121 121 | 2/4 121 565 |
咳哟！ 划 哟 划 哟 划 哟 划 哟，冲 上 前！

7 - - | 7 - - | 121 121 121 | 2/4 0 565 |

2 - - | 2 - - | 121 121 121 | 2/4 121 565 |
咳哟！ 划 哟 划 哟 划 哟 划 哟，冲 上 前！

7 - - | 7 - - | 121 121 121 | 2/4 0 565 |

i2i 565 | i2i 565 | i2i 565 | 3/4 2 - - |

划 哟,冲上前!划 哟,冲上 前!划 哟,冲上 前! 咳哟!

0 565 | 0 565 | 0 565 | 3/4 i2i i2i i2i |

划 哟 划 哟 划 哟!

i2i 565 | i2i 565 | i2i 565 | 3/4 2 - - |

划 哟,冲上前!划 哟,冲上 前!划 哟,冲上 前! 咳哟!

0 565 | 0 565 | 0 565 | 3/4 i2i i2i i2i |

划 哟 划 哟 划 哟!

2 - - | 2 - - | 2 - - | 4/4 20 0 0 0 ‖

咳哟!

i2i i2i i2i | 7 - - | 7 - - | 4/4 70 0 0 0 ‖

划 哟 划 哟划 哟 咳哟!

（笑声）

2 - - | 5 - - | 5 - - | 4/4 50 0 0 0 ‖

2 - - | 2 - - | 4/4 20 0 0 0 ‖

咳哟!

i2i i2i i2i | 5 - - | 5 - - | 4/4 50 0 0 0 ‖

划 哟 划 哟划 哟 咳哟!

慢速

(ii i2i i6 5 | ii i2i i6 5 | 55 6 2.2 2 | 66 i 5.55) |

mp

i i i 2 i i 6 5 | i i i 2 i i 6 5 | 5 5 6 2·2 2 | 6 6 i 5·5 5 |

5 5 5 5 5 5 3 3 | 5 5 5 5 5 5 3 3 | 3 3 3 2·2 2 | 4 4 4 2·2 2 |

我们看见了河 岸,我们登上了河 岸。心哪, 安一安, 气哪, 喘一喘。

3 3 3 3 3 3 i i | 3 3 3 3 3 3 i i | 7 7 7 6·6 6 | 2 2 2 7·7 7 |

5 5 5 5 5 5 6 5 | 5 5 5 5 5 5 6 5 |

1 1 1 1 1 1 1 1 | 1 1 1 1 1 1 1 1 | 3 3 3 4·4 4 | 2 2 2 5·5 5 |

快速

2/4 (5 -) | *f* 5. 6 5 0 | i 3 5 6 5 | 2 2. | 2 6 i 2 6 |

2/4 0 0 | 5. 6 5 0 | 3 3 3 3 3 | 6 6. | 6 6 6 6 |

回 头来, 再和那黄河 怒 涛 决一 死 战,

2/4 0 0 | 5. 6 5 0 | i 3 5 6 5 | 2 2. | 2 6 i 2 6 |

2/4 0 0 | 5. 6 5 0 | 1 1 1 1 1 | 4 4. | 4 4 4 4 |

ff

决一 死战，决一 死战！ 决一死战！

咳哟！ 划 哟， 划 哟，

咳！

咳哟！ 划 哟， 划 哟，

	f			*ppp*	
女低	6̣ 0	6̣ 0	6̣ 0	6̣ –	6̣0 0 ‖
	咳！	咳！	咳！	咳！	
男高	6 0	6 0	6 0	6 –	60 0 ‖
男低	6̣ 0	6̣ 0	6̣ 0	6̣ –	6̣0 0 ‖

14. 黄 水 谣

1=D $\frac{2}{4}$

中速

选自《黄河大合唱》

光未然 词

冼星海 曲

〔朗诵〕我们是黄河的儿女!我们艰苦奋斗,一天天接近胜利。但是,敌人一天不消灭,我们一天便不能安生。不信,你听听河东民众痛苦的呻吟:

(5 35 | i 23 65 | 3 53 | 23 21 | 5 –) |

mf

女高 5 35 | i 23 65 | 3 53 | 2. 3 | 1.3 2161 |

黄 水 奔 流 向 东 方, 河流万 里

女低 3 13 | 5 65 32 | 1 61 | 2. 3 | 1.3 2161 |

5 – | 5 – | 5 56 | 1. 3 | 56 i6 |

长。 水 又 急, 浪 又

5 – | 5 – | 5 56 | 1. 6 | 2 12 |

5 – | 23 i2 | 6i 56 | 12 35 | 2 – |

高, 奔 腾 叫 啸 如 虎 狼。

3 – | 6 5 | 3 2 | 1 76 | 2 – |

(12 35 | 2 –) | 2. 3 5 65 | 3 – | 2. 3 21 |

开 河 渠, 筑 堤

0 0 | 0 0 | 2. 3 5 65 | 3 – | 2. 3 21 |

防，河东千里成平壤。

麦苗儿肥啊，豆花香，

男女老少喜洋洋。

男高
男低

自从鬼子来，百姓遭了殃！

mp

女高 | 5. 6 {1̇ 1̇ / 6 6} | 2̇. 1̇ / 6. 6 } 6 1̇6 | 5 - - - |

女低 | 5. 5 #4 4 | #4. 4 4 - | 5 32 1 7̣ |

奸 淫 烧 杀， 一 片 凄 凉，凄 凉。

男高 | 5. 6 {1̇ 1̇ / 6 6} | 2̇. 1̇ 6 1̇6 / 6. 6 6 1̇6 | 5 - - - / 5 - - - |

男低 | 3. 3 #2 2 | ♮2. 2 2 #2 | 3 - - - |

p

| 2. 3 2 1 | 5. 6 6 2 | 1 - - - |

| 2. 3 2 1 | 1. 1 6̣ 7̣ | 1 7̣6̣ 5̣ 4̣ |

扶 老 携 幼， 四 处 逃 亡，逃 亡。

| 7. 7 7 6 / #5. 5 5 6 | ♮5. 5 4 - | 3 - - - |

| 4. 4 4 3 | ♭3. 3 2 5̣ | 1 - - - |

mf　　f

5 6.5 35 3 | 2 23 6 5 | {2 6 3 – / 6 6 3 –} |

3 3.31 1 | 2 23 3 1 | {2 2 3 – / 2 1 7 –} |

丢 掉 了爹 娘， 回 不了 家 乡！

5 6.55 5 | 5 55 {1 3 / 1 –} | {2 6 3 – / 6 6 #5 –} |

1 1.11 1 | 7 77 {3 – / 6 5} | {4 – 3 – / 4 – 3 –} |

(2/4 2 2 3 | 56 16 | 23 12 | 6 – | 6 –) |

mf

女高 5 35 | 1 23 65 | 3 53 | 2. 32 | 1. 3 |

黄 水 奔 流 日 夜 忙， 妻 离

女低 3 12 | 3 65 32 | 1 61 | 2. 32 | 1. 3 |

2 1 | 61 23 | 2 – | 5. 6 | 23 16 |

子 散， 天各一 方， 妻 离 子 散

2 1 | 61 23 | 2 – | 5. 6 | 23 16 |

5· 3 | 2 6 | 1 – | 1 – |

天 各 一 方！

5· 3 | 4 – | 3 – | 3 – |

(2 2 3 | 56 16 | 23 12 | 61 32 | 1 – | 1 –) ‖

15. 黄 河 怨

1=A $\frac{3}{4}$

选自《黄河大合唱》

光未然 词
冼星海 曲

慢速

(3 - 2 | 1 - - | 2 232 121 | 6 - - |

5 - 6 | 5 - - | 3. 23 6 2 | 1 - 1 0) |

3 - 2 | 1 - - | 1 1 1 1. 6 | 5 - - |
风 啊， 你不要叫 喊！

5 - 6 | 2 - - | 1 1 1 2. 7 | 6 - - |
云 啊， 你不要躲 闪！

3. 4 5 - | 5 - - | 3 2 1 2. 3 | 1 - - |
黄 河 啊， 你不要呜 咽！

1 - - | 1 1 - | 1 12 17 | 6 - - |
今 晚 我 在你 面 前，

2 2 2. 1 | 5 - 6 | 1 - - | (32 12 56 |
哭诉我 的 愁 和 怨！

急迫地

1 – –) | 3. 21 – | 1. 6 6 – | 3. 32 – |

命 啊， 这样苦！ 生活啊，

1.65 – | 3.54 – | 3211 3 | 2 – – |

这样难！ 鬼子啊， 你这样没 心 肝！

渐慢

2 – – | 6 6. 1 | 6 – – | 5 65 353 |

孩 子 啊， 你 死得这样

回原速

2 – – | (2. 3 61 | 2 – –) | 1. 23 – |

惨！ 我 和你

56 5. 3 | 2 – – | 32312 6 | 3. 2 17 |

无仇又 无 冤， 偏让我无 颜 偷 生 在人

6 – – | (5. 653 | 21 6. 2 | 1 – –) |

间！

渐强

6/4 3. 53 – 5 – – | 5555 – 3 – – |

狂 风啊， 你不要叫 喊！

3.5 3 - 2 3 2 6.1 | 2 - - 5 5.3 5 6 |

乌云啊，你不要躲闪！黄河的水啊，

6 - - 6 - - | 2 3 2 2 6 1 - - | (3 - 2 1 - - |

你不要呜咽！

2 2 3 2 1 2 1 6 - - | 5 - 6 5 - - | 3.2 3 6 2 1 - 1 0) |

6/8 1 1 1 1 3 2 | 1. 2 3 3. | 3 5 3 2 6 5 3 5 |

今晚我要投在你的怀中，洗清我的千重愁来

1 2 3 5 2. | (3 2 1 2 3 5 2.) | 5. 6 5 3.5 3 |

万重冤！丈夫啊，在天边！

5. 6 5 6.1 6 | 5 5 3 3 6 5 | 3 5 3.2 1 3 |

地下啊，再团圆！你要想想妻子儿女死得这样

3/8 6. | 6/8 1 2 3 5 3 2 1 | 5 6 5 3 5. |

惨！你要替我把这笔血债清还！

3/4 5 5 6 5 3 | 1 2 3 0 5 6 i | 2̇ - - | 2̇ - - |

你要替我把这笔血　债

5. 6 5 3 | 6 - - | 6 - - | 6 - - |

清　　还！

6 - - | 6 0 0 ‖

16. 保卫黄河

选自《黄河大合唱》

1=C $\frac{2}{4}$

快速

光未然 词
冼星海 曲

(5. 4 3 2 | 1 7 1 0 | 3. 2 3 5 | 6561 5 0 | 6. 5 4 3 |

2 1 7 6 |: 5 6 1 2 | 5 6 2 3 | 5 6 3 4 | 5 6 4 5) :|

f

1 1 3 | 5 - | 1 1 3 | 5 - | 3 3 5 |

(齐)风 在 吼， 马 在 叫， 黄 河 在

1 1 | 6 6 4 | 2 2 | 5. 6 5 4 | 3 2 3 0 |

咆 哮， 黄 河 在 咆 哮。 河 西山岗 万丈 高，

5. 6 5 4 | 3 2 3 1 | 5. 6 | 1 3 | 5. 3 2 1 |

河 东河北 高粱 熟了。万 山 丛 中， 抗 日英雄

5. 6 | 3 - | 5. 6 | 1 3 | 5. 3 2 1 |

真 不 少！ 青 纱 帐 里， 游 击健儿

5. 6 | 1 - | 5 3 5 6 5 | 1 1 0 | 5 3 5 6 5 | 2 2 0 |

逞 英 豪！ 端起了土 枪 洋 枪！ 挥动着大刀 长 矛！

女高低 | 5·6 1 1 | 0 5·6 | 2 2 5·6 | 3 3 5·6 | 3 2 1 | *p* 1 1 3 |

保卫家乡！ 保卫 黄河！保卫 华北！保卫 全中 国！ 风 在

男高低 | 5·6 1 1 | 0 5·6 | 2 2 5·6 | 3 3 5·6 | 3 2 1 | 1 0 |

全中 国

| 5 – | 1̇ 1̇3 | 5 – | 3 3 5 | 1̇ 1̇ | 6 6 4 |

吼， 马 在 叫， 黄 河 在 咆 哮， 黄 河 在

p

| 1̇ 1̇3 | 5 – | 1̇ 1̇3 | 5 – | 3 3 5 | 1̇ 1̇ |

风 在 吼， 马 在 叫， 黄 河 在 咆 哮，

| 2̇ 2̇ | 5·6 5 4 | 3 2 3 0 | 5·6 5 4 | 3 2 3 1 | 5· 6 |

咆 哮。河 西山岗 万丈 高， 河 东河北 高粱 熟了。万 山

| 6 6 4 | 2̇ 2̇ | 5·6 5 4 | 3 2 3 0 | 5·6 5 4 | 3 2 3 1 |

黄 河 在 咆 哮。 河 西山岗 万丈 高， 河 东河北 高粱 熟了。

| 1̇ 3 | 5·3̇ 2̇ 1̇ | 5· 6 | 3 – | 5· 6 | 1̇ 3 |

丛 中， 抗日英雄 真 不 少！ 青 纱 帐 里，

| 5· 6 | 1̇ 3 | 5·3̇ 2̇ 1̇ | 5· 6 | 3 – | 5· 6 |

万 山 丛 中， 抗日英雄 真 不 少！ 青 纱

| 5·3̇ 2̇ 1̇ | 5· 6 | 1̇ – | *mf* 5 3 5 6 5 | 1̇ 1̇ 0 | 5 3 5 6 5 |

游击健儿 逞 英 豪！ 端起了土枪 洋枪， 挥动着大刀

| 1̇ 3 | 5·3̇ 2̇ 1̇ | 5· 6 | 1̇ – | *mf* 5 3 5 6 5 | 1̇ 1̇ 0 |

帐 里， 游击健儿 逞 英 豪！ 端起了土枪 洋枪，

2 2 0 | 5. 6 i i | 0 5. 6 | 2 2 5. 6 | 3 3 5. 6 | 3 2 i |

长矛， 保卫家乡！ 保卫黄河！保卫华北！保卫全中国！

5 3 5 6 5 | 2 2 0 | 5. 6 i i | 5. 6 2 2 | 5. 6 3 3 | 5. 6 5 4 |

挥动着大刀长矛， 保卫家乡！保卫黄河！保卫华北！保卫全中

女高低 *f* i i 3 | 5 - | 3 2 3 5 | i 6 5 0 | i i 3 |

风在吼， 龙格龙格龙格龙， 马在

男高 3 0 | *f* i i 3 | 5 - | 3 2 3 5 | i 6 5 0 |

国！ 风在吼， 龙格龙格龙格龙，

男低 0 0 | 0 0 | *f* i i 3 | 5 - | 3 2 3 5 |

风在吼， 龙格龙格

5 - | 3 5 6 i | 5 4 3 0 | 3 3 5 | i i |

叫， 龙格龙格龙格龙， 黄河在咆哮，

i i 3 | 5 - | 3 5 6 i | 5 4 3 0 | 3 3 5 |

马在叫， 龙格龙格龙格龙， 黄河在

i 6 5 0 | i i 3 | 5 - | 3 5 6 i | 5 4 3 0 |

龙格龙， 马在叫， 龙格龙格龙格龙，

水文化教育丛书

6 1̇ 5 6 | 3 5 3 0 | 6 6 4 | 2̇ 2̇ | 6 4̇ 3̇ 2̇ |

龙 格龙 格　龙 格龙，　黄　河　在　咆　哮。　龙 格龙 格

1̇ 1̇ | 6 1̇ 5 6 | 3 5 3 0 | 6 6 4 | 2̇ 2̇ |

咆　哮。　龙 格 龙 格　龙 格 龙，　黄　河　在　咆　哮。

3 3 5 | 1̇ 1̇ | 6 1̇ 5 6 | 3 5 3 0 | 6 6 4 |

黄　河　在　咆　哮，　龙 格 龙 格　龙 格 龙，　黄　河　在

1̇ 7 1̇ 0 | 5. 6 5 4 | 3 2 3 0 | 1̇ 1̇ 1̇ 0 | 5 4 3 0 |

龙 格龙，　河　西山 岗　万 丈 高，　龙 格 龙　龙 格　龙，

6 4̇ 3̇ 2̇ | 1̇ 7 1̇ 0 | 5. 6 5 4 | 3 2 3 0 | 1̇ 1̇ 1̇ 0 |

龙 格 龙 格　龙 格 龙，　河　西山 岗　万　丈 高，　龙 格 龙

2̇ 2̇ | 6 4̇ 3̇ 2̇ | 1̇ 7 1̇ 0 | 5. 6 5 4 | 3 2 3 0 |

咆　哮。　龙 格 龙 格　龙 格　龙，　河　西山 岗　万　丈　高，

5. 6 5 4 | 3 2 3 1 | 1̇ 1̇ 3 2 | 3 6 5 0 | 5. 6 |

河 东 河 北　高 粱 熟 了。龙 格 龙 格　龙 格 龙，　万　山

5 4 3 0 | 5. 6 5 4 | 3 2 3 1 | 1̇ 1̇ 3 2 | 3 6 5 0 |

龙 格 龙，　河　东 河 北　高　粱 熟 了。　龙 格 龙 格　龙 格 龙，

1̇ 1̇ 1̇ 0 | 5 4 3 0 | 5. 6 5 4 | 3 2 3 1 | 1̇ 1̇ 3 2 |

龙 格 龙　龙 格 龙，　河 东 河 北　高　粱　熟 了。龙 格 龙 格

1̇ 3 | 5. 3̇ 2̇ 1̇ | 5. 6 | 3 - | 1̇ 1̇ 3 2 |
从 中，抗 日英雄 真 不 少！ 龙格龙格

5. 6 | 1̇ 3 | 5. 3̇ 2̇ 1̇ | 5. 6 | 3 - |
万 山 从 中，抗 日英雄 真 不 少！

3 6 5 0 | 5. 6 | 1̇ 3 | 5. 3̇ 2̇ 1̇ | 5. 6 |
龙格龙，万 山 从 中，抗 日英雄 真 不

3 5 1̇ 0 | 5. 6 | 1̇ 3 | 5. 3̇ 2̇ 1̇ | 5. 6 |
龙格龙，青 纱 帐 里，游 击健儿 逞 英

1̇ 1̇ 3 2 | 3 5 1̇ 0 | 5. 6 | 1̇ 3 | 5 3̇ 2̇ 1̇ |
龙格龙格 龙格龙，青 纱 帐 里，游击健儿

3 - | 1̇ 1̇ 3 2 | 3 5 1̇ 0 | 5. 6 | 1̇ 3 |
少！ 龙格龙格 龙格龙，青 纱 帐 里，

1̇ - | 3̇ 3̇ 5̇ 5̇ | 1̇ 1̇ 3̇ 3̇ | 5 3 5 6 5 | 1̇ 1̇ 0 |
豪！ 龙格龙格 龙格龙格，端起了土枪 洋枪，

5. 6 | 1̇ - | 3̇ 3̇ 5̇ 5̇ | 1̇ 1̇ 3̇ 3̇ | 5 3 5 6 5 |
逞 英 豪！ 龙格龙格 龙格 龙格，端起了土 枪

5. 3̇ 2̇ 1̇ | 5. 6 | 1̇ - | 3 3 5 5 | 1 1 3 3 |
游击健儿 逞 英 豪！ 龙格龙格龙格 龙格，

3̇ 1̇ 5 35 | 6 5 1̇ 1̇ | 53565 | 2̇ 2̇ 0 | 1̇2̇1̇6 53 |

龙格龙龙格 龙格龙格，挥动着大刀 长矛， 龙格龙格 龙格，

1̇ 1̇ 0 | 3̇ 1̇ 5 35 | 65 1̇ 1̇ | 5 3565 | 2̇ 2̇ 0 |

洋枪， 龙格龙龙格 龙格 龙格，挥动着大刀 长矛，

5 3565 | 1̇ 1̇ 0 | 3̇ 1̇ 5 35 | 6 5 1̇ 1̇ | 5 35 65 |

端起了土枪 洋枪， 龙格 龙龙格龙格 龙格，挥动着大刀

5. 6 1̇ 1̇ | 3 3 5 5 | 3̇ 1̇ 5. 6 | 2̇ 2̇ 5. 6 |

保 卫家乡！龙格龙格 龙格，保 卫黄河！保卫

1̇2̇1̇6 53 | 5. 6 1̇ 1̇ | 5 6 | 2̇ 2̇ |

龙格龙格 龙格，保 卫家乡！保卫 黄 河！

2̇ 2̇ 0 | 1̇2̇1̇6 5 3 | 5. 6 1̇ 1̇ | 5. 6 2̇ 2̇ |

长矛， 龙格龙格龙 格，保 卫家乡！ 保 卫黄河！

3̇ 3̇ 5. 6 | 3̇ 2̇ 1̇ | 1̇ - | 1̇ - ‖

华北！保卫 全中 国！

5 6 | 3̇ 3̇ | 5. 6 3̇ 2̇ | 3̇ - ‖

保卫 华 北！ 保 卫全中 国！

5. 6 3̇ 3̇ | 5. 6 5 4 | {5/1} - | {5/1} - ‖

保 卫华北！保 卫全中 国！

17. 南湖的船，党的摇篮

电影《中国革命之歌》插曲

1=♭B $\frac{4}{4}$

中速、稍慢

乔 羽 词
时乐蒙 曲

七 月 南 湖 水 涟 涟，
烟雨 楼 台 雨 如 烟。
水 涟 涟， 雨 如 烟。 荷 花 深 处 摇 来 一 只 船， 摇 来一 只 船。
云 将 收， 雾 将 散， 湖 面上 升 起 引 航 的 帆， 引 航 的 帆。
波 光 闪， 霞 光 闪， 伟 大 的 中 国共产党 诞 生 在 人 间， 诞 生在 人 间。
啊， 啊，

3 i·7 6·i65 #456 | 5·(3 2.3 2 i 2 3) | 5 3 2 3 5 3 5 6 |

啊，　　　　南　湖的船　啊，

3. 5 3 2 i 6 i. | 3·5 6 6 i 2 7 6 5 | 6. 5 3 2 i. 0 :‖

党的摇　篮，　你和人民　心　相连，心　相　连。

你满载着　神州大地　风雨雷　电。

历史将从　你　这里

6. 5 3 2 i. 2 | 5 - - - | 5 0 0 0 ‖

揭开新　篇。嗯！

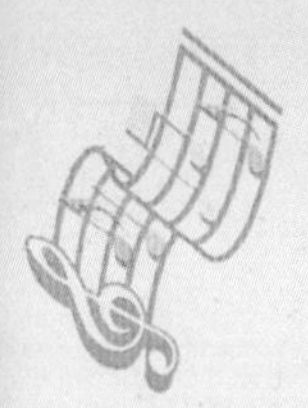

天蓝色徜徉

18. 看 长 江

《江 姐》江竹筠唱段

1=F $\frac{2}{4}$

中速

阎　肃　词

时白林　曲

看　长　江　　战歌　掀起

千层浪，　望　山

城　　红灯　闪　闪　雾　茫　茫。

一　颗　心

似江　水　奔腾　激　浪，　乘　江

风　　乘　江风　破浓　雾　奔　向远　方。

2/4 5 (4 32 | 5656 2 | 1. 2216 | 5 –) | 5 53 2 5 |

飞向

(2325 6123)

3 321 | 3. 6 561 | 2 – | 5. 6 5 3 | 2 1. |

高高华蓥山，飞向巍巍

135 126 | 5 – | 5. 5 3 5 | 6 – | 3. 6 563 |

青松岗。岗上红旗招手

2 – | 2. 3 5 6 | 5632 1. 7 | 1. 2 563 | 52 3 126 |

笑，唤我快把征途上。

渐快

5.(612 6576 | 5. 4 325) | 6. 1 5 2 | 1 0(7 651) |

上征途，

3. 6 563 | 2 0(5 7123 | 1/4 2)5 | 5 3 | 2 | 2 1 |

挥刀枪，巴山蜀水

6 5 | 1 2 | 6 | 5 | 0 1 | 6 1 | 5. 2 | 5 |

要解放。带去山城

稍慢

1 6 | 1 | 2 (32 | 1 2) | 3. 2 | 3 5 | 2 | 6 |

星星火，山川

(5652 | 5652 | 5. 3 | 2 3 5)

5 | 5 | 5 | 5 | 2/4 0 5 3 5 | 6. 5 3 5 |

遍地腾烈

稍慢

6. (6 6 6) | 5 5 3 21 | 6 5 5 3 | 2 (66 6 i | 5. 6 |

焰， 满天 闪 红 光！

4 5 3 | 2 -) | 3. 5 2 1 | 6 5 1 (7 | 6156 1 2) |

今 日 告 别

3. 6 5 63 | 2 7 6 7 | 2 32 7 2 | 6 - | 1 3 5 1 26 |

雾 重 庆，乌 云 沉 沉 夜 未

5 (35 6561) | 2. 3 1 2 | 3. 6 | 5. 6 2 4 | 3. (5 6 i |

央。 待 等 明 朝 归 来 时，

5 6 2 4 | 3 -) | 5 5 3 57 | 6 6. | 5. i |

迎 回 一 轮 红

(5656 5656 | 5. 5 6 i |

6 5 3 | 2 32 1 2 | 5 - | 5 - |

太 阳。

2. 5

5 - | i 2 6 | 5 - | 5 -) ‖

19. 长江之歌

1=♭B $\frac{4}{4}$

中速　亲切、热情地

胡宏伟填词
王世光　曲

(3 4 |: 5 3 1 5 | 6 - - 2 3 | 4 5 4. 3 | 3 - - 3 4 |

5 3 1 5 | 6 - - 2 3 | 4 5 3. 2 | 1 - -) 3 4 |

（领唱）1.你 从
2.你 从

5 3 1 5 | 6 - - 2 3 | 4 5.5 4. 3 | 3 - - 3 4 |

雪 山 走 来， 春潮 是 你 的风 采； 你向
远 古 走 来， 巨浪 荡 涤 着尘 埃； 你向

5 3 1 5 | 6 - - 2 3 | 4 5.5 3. 2 | 1 - - 0 |

东 海 奔 去， 惊涛 是 你 的气 概。
未 来 奔 去， 涛声 回 荡 在天 外。

7. 1 2 5.5 | 5 7 1 2 - | 1. 2 3 5 1 2 | 3 - - - |

（合唱）你 用 甘 甜 的 乳 汁， 哺 育 各族儿 女；
你 用 纯 洁 的 清 流， 灌 溉 花的国 土；

2. 3 4 6.6 | 3. 2 2 - | 4. 3 2. 2 2 6 | 5 - - 3 4 |

你 用 健 美 的 臂 膀， 挽 起高 山大 海。 我们
你 用 磅 礴 的 力 量， 推 动新 的时 代。

5̇ 3̇ 1̇ 5 | 6 - - 2̇3̇ | 4̇ 5.5 4̇. 3̇ | 3̇ - - 3̇4̇ |

赞美长江，你是无穷的源泉；我们

5̇ 3̇ 1̇ 5 | 6 - - 2̇3̇ | 5 4̇.4̇ 3̇.2̇ | [1.] 1̇ - - (3̇4̇ :‖ [2.] 1̇ - - 3̇4̇ |

依恋长江，你有母亲的情怀。怀。啊，

5̇ - - 3̇4̇ | 5̇ - - 2̇3̇ | 4̇ - - 3̇ | 3̇ - - - | 3̇ - - - ‖

长江，啊，长江。

20. 大江大爱

1=G 4/4

郑　南　词
戚建波　曲

中速、稍快　亲切、激情地

(5 - - 34 |: 5 3 4. 5 | 6 - - 23 | 4 2 3. 4 |
5 - 55 3.2 | 1 - -)55 | 6 5 24 4 | 3 1 - - |
1.是那 太 阳 感动 了 雪 水，
2.是那 江 风 感动 了 白 鸥，

25 2 4 3.2 | 3 - - ∨55 | 6 5 24 4 | 3 6 - - |
雪水 愿 奔 流不 回； 是那 浪 花 感动 了 红 绿，
白鸥 和 白 云依 偎； 是那 涛 声 感动 了 鱼 儿，

7 7.65 2 3 | 31 1 - - | 7. 1 2 76 | 51 23 2 0 |
红 绿为两岸 妩 媚。 你 的 爱 啊 浪漫 着乡 村，
鱼 儿和船儿 相 随。 你 的 爱 啊 推动 着生 活，

22 6 4.4 45 | 2 - - - | 3. 4 5 5 | 43 23 6 - |
乡村 才 这样青 翠； 你 的 爱 啊 蓬勃 着城 市，
生活 才 充满回 味； 你 的 爱 啊 焕发 着梦 想，

22 2 6.6 67 | 5 - - ∨5 | i. i 2 i | 5 - - 6 |
城市 才 这样宏 伟。 多 情 的 大 江 水， 荡
梦想 正 起伏陶 醉。 多 情 的 大 江 水， 荡

4. 1 4 56 | 5 - - - | i - 6 - | 4 5.6 2 - |
漾 着 人 生 美。 是 你 感 动 了我，
漾 着 人 生 美。

5 2 4 5.2 | 3 - - - | 3. 4 5 1 | 4 5 6 5 - |
我 又 感 动 了 谁？ 就 让 种 子 感 动 大 地，

4. 4 4 2 | 6 6 - - | i. i 7 6 | 5 6 5 2 - |
大地结满金穗；就让今朝感动未来，

[1.] (3 4:| [2.]
5 4 - 3.2 | 1 - - - :| 1 - - - | 7. 1 2 76 |
万象生辉。辉。你的爱啊

5 1 2 3 2 0 | 2 2 6 4.4 4 5 | 2 - - - | 3. 4 5 5 |
推动着生活，生活才充满回味；你的爱啊

4 3 2 3 6 - | 2 2 2 6.6 6 7 | 5 - - V 5 | i. i 2 i |
焕发着梦想，梦想正起伏陶醉。多情的大江

5 - - 6 | 4. 1 4 5 6 | 5 - - - | i - 6 - |
水，荡漾着人生美。是你

4 5.6 2 - | 5 2 4 5.2 | 3 - - - | 3. 4 5 1 |
感动了我，我又感动了谁？就让种子

4 5 6 5 - | 4. 4 4 2 | 6 6 - - | i. i 7 6 |
感动大地，大地结满金穗；就让今朝

5 6 5 2 - | 5 4 - 3.2 | 1 - - - | 5 6 7 - |
感动未来，万象生辉。万象生

2 - - - | i - - - | i - - - | 1 0 0 0 ||
辉。

21. 长江水育出黄梅花

1=G $\frac{2}{4}$

中快 激情地

江志伟 词
时白林 曲

长江水映出振风塔，长江水育出黄梅花。闹花灯闹红一江水，打猪草打绿一江坝。欢快的锣鼓是长江的浪，优美的旋律是长江的葩。我借那个江水润润

长江水映出振风塔，长江水育出黄梅花。天仙配唱彻人间美，女驸马唱圆梦中画。幽幽的水袖是长江的水，甜甜的乡音是长江的葩。我借那个江水游四

6. 5 6 | 0 4 2 1 | 4. 2 4 5 | 6 – | 6 – |

喉，　唱一段长江颂，

海，　踏一条友谊道，

f

i 6 5 | 4. 5 i 6 | 5 – | 5. 3 | 5. 6 3 2 |

唱一段黄梅花，　唱一段

送一段黄梅花，　送一段

1 2 5 3 | 2 0 | 1. 2 3 1 | 2 32 2 | 1 #5 6 | 5 – ‖

黄梅花，黄梅花。

黄梅花，黄梅花。

22. 珠 江 水

陈中秋 词
姚晓强 曲

1=♭A $\frac{4}{4}$

(1 5 3432 3 - | 1 5 1 53 2 - | 1 5 3432 1 |

7 5 7 67 5 - | 6.5 6561 223 21 203 | 556 51 46 55653 2 |

7 67 2 3 5 6 76 | 5 - - -) |: 3 6 2 3 1 6. |

珠 江 水，
珠 江 水，

6 2 1. 6 6 3. | 3 6 1. 6 1 2 3 | 3 - - - |

水 悠 悠， 日夜 流 过我 心 头。
水 悠 悠， 蓝天 白 云水 中 游。

3. 6 5 1 2 3. | 3 6 3. 2 1 2. | 7675 3 5. 6 2 16 |

千 峰 锦 绣 绕 碧 水， 好像 银 河 落 九
汇 聚 百 船 奔 大 海， 帆彩 流 金 谱 锦

6 - - 2 1 2 |[1. 3 - - 6 6 5 | 3 - - 1 2 |

州。 啊 呀 嘞， 啊 呀 嘞， 啊 呀
绣。 啊 呀

2. 3 5 1 6 | 6 - - - :|[2. 3 - - 2 56 |

嘞， 啊 呀 嘞。 嘞， 啊 呀

6 - - - |: 1=♭B 𝄋 5 5 32 1 23 2 5 | 1 5 1 53 2 - |

嘞。 珠 江 儿 女 千 千 万，

5 5 32 1 23 2 5 | 1 5 7 67 5 - | 1 2 3 2 5 1 32 2 |

生命之源长相守。东方风来春潮涌，

5 5 65 1 4 543 2 | 2 4 5 2 65 5. | 7767 223 5 434 |

赛龙夺锦尽风流。啊嘞啊嘞，赛龙夺锦尽风流。啊呀

[3. 5 - - - :‖ [4. 5 - - - :‖ [5. 5 - - - | 5 - - - ‖

嘞。嘞。*D.S.* 嘞。

23. 祝福三峡

1=E $\frac{4}{4}\frac{2}{4}\frac{3}{4}$

♩=88

谈炎炎 词
胡廷江 曲

告别

三峡，走向天涯，带走行李，留下了牵挂。看一
三峡，迁居天涯，安好新家，牵挂着老家。吼一

眼长江水，怎能忘记在你怀抱中长
声云和月，多想听听久别故乡人说

大。告别三峡，走向天涯，带走行李，留下了牵
话。告别三峡，迁居天涯，安好新家，牵挂着老

挂。看一眼神女峰，怎能忘记在你
家。喊一声云和天，多想看看梦中

3 3 3 2 1 | 1 - 3 ‖: i i i 6. 3 | 2. 3 2 i. |

神话 里 长大。 啊, 我的 三峡, 再 见吧,

那万 里 彩霞。 啊, 我的 三峡,我 想 你啊,

7. 6 5 6 3 | 5 - - 5 3 | 6 i 7 6. 6 6 | 5. 4 3 - |

再 见,我的 老 家。 在 依依 不舍 的 时 刻,

想 你,我的 老 家。 在 思念 无比 的 时 刻,

2 3 4 5 6 5 3 | 1. 2 - - 3 :‖ 2. 2 - - - | 2 3 4 5 6 5 6 |

让我 深情 祝福你 吧! 啊 吧! 早日 实现 新的神

让我 深情 祝福你 吧!

i - - - | (0 1 2 3 5 6 1 | 5 3 3 - - | 2 3 2 1 3 5 i 7 |

话!

6 7 6 5 6 7 3 2 | 5 - - 6 5 | 6 5 6 5 6 5 6 5 | 3 3 - - |

i 7 6 | 5) 1 2 ‖ 3. 2 - - - | 2 3 4 5 6 5 6 |

D.S.

告 别 吧, 早日 实现 新的神

i - - - | i - - 3 | i i i 6. 3 | 2. 3 2 i. |

话! 啊, 我的 三峡, 我 想 你啊,

7. 6 5 6 3 | 5 - - 5 3 | 6 i 7 6. 6 6 | 5. 4 3 - |

想 你,我的 老 家。 在 思念 无比 的 时 刻,

2 3 4 5 6 5 3 | 2 - - - | 2 3 4 5 6 5 6 | i - - - |

让我 深情 祝福你 吧, 早日 实现 新的神 话!

6. 5 2 3 | 3 - - - | 1 - - - | 1 - - ‖

新 的 神 话!

24. 你好啊，峡江

电视剧《三峡传说》插曲

1=D $\frac{2}{4}$

中速 赞美地

马靖华 词
张丕基 曲

1.2.风 啊，你 微 微 地 吹 吧。船 啊，你 慢 慢 地 走 啊。

让 那 不 尽的 长 江 水，在 我 的 心 上

让 那 迷 人的 霞 光，映 在 我 心

5 – | 5 – | 3 – | 1 – | 1 0 2 |
流。 掀 起
头。 伴 随
5 – | 5 – | 1 – | 1 – | 1 0 2 |

3 2 3 | 2. 7 | 1 – | 1 – | 5 – |
爱 的 波 浪， 激
波 涛 歌 唱， 沿
1 7 6 | 7. 5 | 1 – | 1 – | 3 – |

3 – | 3 0 5 | 6. 5 | 4 3. 2 | 5 – | 5 5 |
起 美 的 遐 想。 啊，
着 画 廊 飞 翔。
1 – | 1 0 3 | 4. 3 | 2 1 | 7 – | 7 5 |

1 – | 1 7 2 1 | 7 6. 5 | 6 – | 6 3 |
轻轻地叫一声， 啊，
3 – | 3 5 7 6 | 5 4. 3 | 4 – | 4 3 |

6 – | 6 5 6 3 | 7 6 76 | 5 – | 5 6 5 6 |
轻轻地叫一声， 你好啊，
3 – | 3 3 2 1 | 2 3 2 | 5 – | 5 3 2 3 |

5. 3 3 | 3(34 5 i2 | 3)5 6 5 | 5. 3 2 | 2(22 5 7i |

峡　江，　你好啊，峡　江，

3. 2 1 | 1 0 0 | 0 3 2 3 | 2. 1 2 | 2 0 0 |

2)3 2 1 | 6 5 5 0 | 3. 5 | 2 5 3 | 1 - | 1 - ‖

你好啊，峡　江，　峡　江。

0 3 2 1 | 6 5 5 0 | 1. 2 | 7 5 6 | 1 - | 1 - ‖

25. 丽　江　行

1= A $\frac{4}{4}$ $\frac{2}{4}$

1. 蜜　一样甘　甜，　酒一样醇　美。
2. 花　一样娇　美，　雨一样滴　脆。

丽江山水清又纯，多么令人醉。醉了蓝天，醉了白云，
丽江山水美如画，多么令人回味。美了长江第一湾，

醉了香山柳林翠。飘来了玉龙山的彩云，飘来了金沙江的欢乐。
美了古城玉泉水。流来了云海的歌声，流来了竹乡的情哟。

飘来了纳西村寨清香的雪茶味。啊，
美丽的万朵山茶花伴着梨花飞。啊，

啊，喂。丽江山水多么美，牵动着我的心儿
啊，喂。丽江山水多么美，绽放我的心中

腾飞　啊喂。

2.

5. 2 3 5 6 | 6. 5 6 - | 3. 5 6. 5 |

蓓 蕾 啊 喂， 啊，

7·6 5665 353. | 3.3 5 3 2336 1 | 2 1 2 3 5 6 7 - |

啊，啊， 喂， 丽江山水多么 美，牵动着我的 心

7. 6 5 - | 5. 2 3 5 6 | 6 - - V i |

儿 腾 飞 啊

2i 6 - - - | 6 - - - | 6 - 0 0 ‖

喂。

26. 百里漓江，百里画廊

1=A $\frac{4}{4}$

石 祥 词
刘诗召 曲

开阔 悠扬地

(6. 56 5 3 5 | 3 6 1 25 3 – | 2. 12 1 6 3 |

2 12 1 6 6. 5 | 6 – 231 656) |: 63 36 232 3 |

天 上 哟 有
天 上 哟 有

1 6 21 616. | 63 36 232 3 | 1 6 21 6 – |

一道银 河，地 上 哟 有 一条漓 江。
一道长 虹，地 上 哟 有 一条漓 江。

1 61 65 56 | 1 6 1 25 3 – | 2 6.1 2 2 32 2 |

天 上的银河哟 星光 灿 烂，地 上的漓江 哟
天 上的彩虹哟 绚丽 多 彩，地 上的漓江 哟

31 2 1 6 10 1 65 | 6 – – – | 5. 3 56 6 |

清澈透亮 啰 哟啰里 喂。船 在水中行，
一路风光 啰 哟啰里 喂。水 清心纯净，

53 565 3 – | 1 06 23 3 | 26 12 2 – |

人在 云头唱，水 中倒影美 两岸飘花香。
景美 精神爽，爱 洒漓江水 江长情更长。

5. 3 56 6 | 63 56 6 – | 5. 3 56 6 |

百 里漓 江，}
百 里漓 江，} 百里画 廊，百 里漓 江，

5 3 5 31 6 ∨ 1 6 5 | 6 – – – | [1. (6. 56 5 3 5 |

百里 画 廊 哟啰里 喂。

3 6 1 25 3 – | 2. 3 1 6 6 5 | 6 – – –) :‖

[2. 5. 3 5 6 6 | 6 3 5 6 6 – | 5. 3 5 6 6 |

百 里漓 江，百里画 廊， 百 里漓 江，

3 6 1 2 2 – | 5. 3 5 6 6 | 6 3 5 6 6 – |

百里画 廊， 百 里漓 江，百里画 廊，

5. 3 5 6 6 | 5 3 5 31 6 1 6 5 | 6 – – – |

百 里漓 江， 百里 画 廊哟啰里 喂，

5. 3 3. 5 ∨ | 6 – – – | 6 – – – | 6 – 0 0 ‖

哟 啰 里 喂。

27. 山歌好比春江水

歌剧《刘三姐》选曲

1=♭B $\frac{2}{4}$

柳州《刘三姐》创作组

唱山歌哎，这边唱来那边和。

山歌好比春江水哎，不怕滩险湾又多啰湾又多。

28. 春江花月夜

1=G $\frac{2}{4}$

古　　曲
王　健　填词

中速　从容、有韵味地

6 66 i 26 | 5 5. 6 | 5 5 6 i2 | 3 - |
江楼上独凭　栏，　听　钟鼓声　传，

3 23 5 35 | 6. i 2. 3 | i 23 2i6 | 5 5. i |
袅袅　娜娜　散　入　那　落霞　斑　斓。一　江

6i2 6i52 | 3 - | 3 6i 5653 | 2 - |
春水缓缓　流，　四野悄无　人，

3. 5 6561 | 2 32 1231 | 2 - | 2 - |
唯　有渐渐袭来　淡淡的薄雾轻　烟。

2 - | 2 2 3532 | i i265 | i. 3 2. 3 |
看，　月上东　山，天宇　云　开雾　散，

2. 3 2 2 | 235 3532 | i. 3 2. 3 | i. 3 i. 3 |
云　开雾　散，光辉照山　川。千点　万　点，千点　万

i 23 2i6 | 5 5. 6 | 3. 5 6 i | 5 5 i2 |
点，洒在江　面。恰　似　银　鳞闪　闪，惊起了

6. i 5 4 | 3. 2 1 3 | 2 - | 3 6i 5653 |
江　滩　一　只宿　雁，　扑楞楞飞　过了

2 3 2 1 2 3 1 | 2 – | 3 – | 3 3 5 3 3 |

对面的杨柳岸。听，清风

2 2 | 3 6. 1 | 5 5. 1 | 6 1 2 6 1 5 2 |

吹来，竹枝儿摇，摇得花影零

3 – | 3 6 1 5 6 5 3 | 2 – | 2 3 5 3 5 3 2 |

乱，幽香飘散。何人吹弄

1. 3 2. 3 | 1. 3 2. 3 | 1 5 6 1 | 2 – |

笛声箫声，箫声笛声，和着渔歌，

2 3 5 3 5 3 2 | 1 – | 1 1 1 2 3 | 6 – |

自在悠然。欸乃韵远，

6 6 1 5 | 3. 3 3 5 | 3. 3 3 5 | 6. 1 2. 3 |

飘向那水云深处芦荻岸边，唯有

1 2 3 2 1 6 | 5 5. 6 | 5 5 6 1 2 | 3 – |

渔火点点，伴着人儿安眠，

3 6 1 5 6 5 2 | 2 V 3 2 1 2 3 1 | 2 – | 2 – ‖

春江花月夜，怎不叫人流连。

29. 清江放排

1=♭B $\frac{2}{4}$

曾令鹏 词
胡　克 曲

开阔、豪放地

哟 嗬　　哟 哟
哟 嗬　　哟 嗬　　哟 哟
哟 嗬　　哟嗬 嗬嗬　　哟嗬 嗬嗬
哟 嗬
阳春那个 三 月 好 放
排！哟 嗬　　头 排 去哒
二 排 来，头 排去哒 二排 哟嗬 来，
幺妹 的个 山 歌 逗 人 爱，

好似那个春风 哟 扑我 怀 吔，春 风

扑我 哟 怀。

咳 咳 漂过千重

岭 啰， 飞落百丈 崖呀哈，

号子声声 哟 传 天

外 呀。 咳 啰，

放 木 排 哟 送 木 材 吔，万 座

高 楼 盖 起 来！哟

喂 咳 咳 咳

咳 哟 哟 哟 哟 哟 嗬！

30. 多情东江水

叶旭全 词
王佑贵 曲

1=♭B $\frac{4}{4}$

（齐）啊！东江的水，啊！东江的水，

啊！东江的水，啊！东江的

水。

（女独）*1.*清清的东江水，日夜向南流，

流进深圳，流进流进了港九，流进我的家门

口，（齐）流进我的心里头。东江的

水，东江的水，你是祖国引出的泉，

*2.*清清的东江水，日夜向南流，

翻过高山，流过流过了田畴，流上深港楼外

楼，流上深港楼外楼。东江的

水，东江的水，洗练了东方之珠，

i̇.2̇ 3̇5̇2̇ 3̇ - | 5̇5̇2̇ 3̇4̇3̇2̇ i̇. 3̇5̇ | 7.2̇ i̇7 6765 #453 |

你 是同 胞 酿成的美 酒， 一 醉解 千
你 滋润 了 同胞 亲 友， 多 福又 多

2/4 5 - | 4/4 5̇5̇2̇ 3̇4̇3̇2̇ i̇ - :‖ 结束句 5̇ 5̇.5̇5̇ - |

秋， 一醉 解 千 秋。 东 江 的水，
寿， 幸福 乐 悠 悠。

3̇ 3̇.3̇3̇ - | i̇ i̇.i̇i̇. 3̇ | 6̇5̇ 6̇ 6̇ 5̇6̇ | i̇ - - - ‖

东 江 的水， 东 江的水，啊！ 多情 的 东 江的 水。

31. 嘉陵江上

1=D $\frac{3}{4}$

中速 悲壮地

端木蕻良 词
贺绿汀 曲

那一天，敌人打到了我的村庄，我便失去了我的田舍、家人和牛羊。如今我徘徊在嘉陵江上，我仿佛闻到故乡泥土的芳香。一样的流水，一样的月亮，我已失去了一切欢笑和梦想。

mp

1 7 6 7 1 2 3 | 4 - - | 3 - 0 3 | 3 3 #2 3 6 1 |

江水 每夜 呜咽地 流 过， 都 仿佛 流在 我的

p　　　　　　　　　　　　　　　　p

7 - #5 | 6 - - | 6 - - | 0 0 0 6 |

心 上。 我

6 - 6 | 6 6 #5 6 4 3 | 2 - 4 3 3 | 2 3 4 5 6 ♭7.6 |

必 须 回到 我的 家 乡， 为了那 没有 收割的 菜

f　　　　　　　　　　mf　朗诵似地

6 - 0 2 2 | 2 2 2 2 1 ♭7 | 6 - 0 1 | 1 1 6 6 0 1 |

花， 和那 饿瘦 了的羔 羊。 我 必须 回去， 从

f

1 1 1 2 3 4 5 | 6 6 0 0 1 | 1 1 1 1 0 6 | 6 7 1 3 2 1 7 |

敌人的 枪弹 底下 回去。 我 必须 回去， 从 敌人的 刺刀丛里

ff

6 7 1 - | 0 3 3 3 3 3 3 | 6 6 0 6 7 1 | 3 2. 1 |

回 去。 把我打胜 仗的 刀枪， 放在我 生 长 的

7. 1 7. 6 | 6 - - | 6 - ‖

地 方！

32. 秋 江 曲

电影《花街》插曲

漫 影 词
李厚襄 曲

1=F $\frac{4}{4}$

5. 6 1 3 | 5 - - - | 5. 6 5 1 | 2 - - - |

弯 弯 羊 肠 路， 盼 郎 到 江 头。
落 叶 逐 水 流， 西 风 伴 人 愁。

2. 5 5 3 | 2 3 1 10 7 | 6. 2 12 6 | 5 - - - |

江 边 花 草 凋 萎， 只 剩 下 枯 柳。
江 南 一 片 萧 瑟， 侬 把 他 等 候。

0 5 - 6 | 12 1 - 6 | 5. 6 35 3 | 3 - - - |

天 天 渡 到 江 头 望，
去 年 离 时 答 应 我，

0 2 - 3 | 56 5 - 3 | 2. 3 21 2 | 2 - - 0 |

望 得 人 儿 已 消 瘦。
今 年 秋 天 重 聚 首。

0 1 1. 6 | 1. 2 3 - | 0 6 - 3 | 5.3 56 5 |

秋 江 空 无 际， 流 水 长 悠 悠。
盼 到 秋 风 起， 依 旧 无 消 息。

5 - - 5 | 6. 5 1 3 | 21 2 - 1 | 6. 3 21 65 |

望 到 夕 阳 落， 不 见 有 归
江 面 白 茫 茫， 泪 珠 共 水

1 - - - | 1 0 0 0 ‖

舟。
流。

33. 乌苏里船歌

1=♭A 6/8 2/4
稍慢 自由地

郭颂 胡小石 词
汪云才 郭颂 曲

回声

渐还原

啊 朗 赫赫呢哪 啊 朗 赫赫呢哪

啊 朗 赫赫呢 哪 赫赫 雷 赫赫 呢哪

啊 朗 赫赫呢 哪 赫 雷 给 根。

1.乌 苏 里 江 来 长 又 长，蓝 蓝 的 江 水

2.白 云 飘 过 大 顶 子 山，金 色 的 阳 光

3.白 桦 林 里 人 儿 笑，笑 开 了 满 山

1 3 5 ⁷6 5 | 5. 0 | 1. 1 5 6 | 1 1 23 | 6 5 1 25 |

起 波 浪。 赫哲人 撒 开 千 张
照 船 帆。 紧 摇 桨来 掌稳
红 杜 鹃。 毛主席 领 上 幸福

3 – | 5 6 i 3 5 | 1 3 6 5 | [1. 2.] 1 3 5 61 | 1. 2 3 |

网， 船儿 满 江 鱼 满 舱。 啊朗
舵， 双手 赢 得 丰 收 年。 啊朗
路， 人民 的 江 山

5.6 5 3 2 3 | 5 5 0 | 5.5 5 3 2 2 1 | 1 – (0 12 3523 | 5. 6 5321 |

赫拉赫呢哪 雷 呀 赫拉哪呢赫呢 哪。
赫拉赫呢哪 雷 呀 赫拉哪呢赫呢 哪。

1356 1236) :‖ [3.] ⁵3.5 ⁷6.5 6.5 | 5 – | *mf* 5 6 6 ⁷6 5 5 5 |

万 万 年。 啊 朗 赫赫呢 哪

5. 5. | *pp* 回声 i 2 2 ³2 i i i | i. i. |

啊 朗 赫 赫呢 哪

mf 5 6 6 ⁷6 5 5 5 3 | 5 2 2 ³2 1 1 1 6 | 5 1 1 5 3 3 3 |

啊 朗 赫赫呢哪 赫 雷 赫赫呢哪 啊 朗 赫 赫呢哪

2 1 1 5 | (0 5 6 1 2 3 ⁶1. 1. | 突快 5 6 6 ⁷6 5 53 |

赫 雷 给 根。

渐还原 渐还原

5 2 2 ³2 1 17 | 2 1 7 ³2 1 5 | 1. 1. | 1. 1 0) ‖

34. 松花江上

1=♭E $\frac{3}{4}$

张寒晖 词曲

中速

mp

1. 3 5 – | i i. 5 6. 5 | 6 5 – | 1 2 3 – |

我 的家 在 东 北松 花 江 上， 那里 有

6 i 5 | 3 – – | 2 1 2 – | 6 i 5 |

森 林 煤 矿， 还有 那 漫 山 遍

4. 3 2. 1 3. 2 | 1 – – | 1. 3 5 – | i i. 5 6. 5 |

野 的大 豆高 粱。 我 的家 在 东 北 松 花

6 5 – | 1 2 3 – | 6 i 5 | 3 – – |

江 上， 那里 有 我 的 同 胞，

2 1 2 – | i 7. 6 5 | 4 3 2. 3 | 1 – – |

还有 那 衰 老 的爹 娘。

i 7 6 – | 2 i 5 – | 6 6. 3 2 | 2 3 i 7 |

“九 一八”， “九 一 八”， 从 那 个悲 惨的 时

6 – – | i 7 6 – | 2 i 5 – | 6 6 3 2 |

候， “九 一 八”， “九 一八”， 从 那个 悲

2 3 1 7 | 6 – – | 6 6. 7 6. 5 | 6 6 – |

惨的 时 候， 脱 离 了我 的 家 乡，

水文化教育丛书

3 5 5.6 | 1 67 65 | 6 - 3 | 2 - 3 |

抛 弃 那 无 尽的 宝 藏， 流 浪！ 流

2 - 3 | 5 1 6 | 53 2 - | 3 2 - |

浪！ 整 日 价 在 关 内， 流 浪！

3 6 - | 3 5 - | 5.6 1 - | 67 65 6 |

哪 年， 哪 月， 才 能够 回到 我那 可

67 2 - | 5 - - | 3 6 - | 3 2 - |

爱的 故 乡？ 哪 年 哪 月，

5.6 1 - | 67 65 3 | 23 2 - | 1 - - |

才 能够 收回 我那 无 尽的 宝 藏？

3 - 21 | 6 - - | 2 - 16 | 5 - - |

爹 娘 啊， 爹 娘 啊，

3 6 - | 3 5 - | 56 3. 2 | 3 6 1 | 1 - - ‖

什 么 时 候， 才能 欢 聚 在 一 堂？

土黄色遐想

35. 我爱五指山，我爱万泉河

1=F $\frac{2}{4}$
中速

郑南 词
刘长安 曲

流畅地

我爱五指山，我爱万泉河。双手接过红军的钢枪，海南岛上保卫祖国。啊，五指山，啊，万泉河，你传颂着多少红军的

4 5 2 | 0 3 2 12 | 5. 5 | 3 33 2 12 | 1 – |

故 事， 你日夜 唱 着 红军的赞 歌。

稍快

|:(0 5 1 35 | 6. i | 5 – | 5. 3 2 12 | 1 55 5 5 |

5 12 3234) | 5 6. i | 5 – | 6. 5 3 5 | 2 3 1 6 |

1.我 爱 五 指山的 红 棉

2.我 爱 万 泉河的 清 泉

5 – | 5 1 | 6. 1 | 4 6 5 4 | 3 2 3 5 |

树， 红 军 曾在树下 点 篝

水， 红 军 曾用河水 煮 野

2 – | 2 1 | 6 – | i. 6 5 i | 6 5 65 |

火。 我 爱 五 指山的 红 石

果。 我 爱 万 泉河的 千 重

3 – | 3 5 | 1. 2 | 3. 5 6i | 6 5 6 |

岩， 红 军 曾 在石上 把 刀

浪， 红 军 在 这 里把 敌人 赶下

5 V 5 | i – | i 2 i 6 | 5 6. i | 2 – |

磨。 我 爱 红 军 走 过 的 路，

河。 万泉 河 流 水 向 大 海，

2 i 6 56 | 5. 3 | 2 – | 6 i | 5 3 2 12 |

我 沿着 山 路 上 哨

我 沿着 河 边 去 巡

1.
1 – :‖ 2. 1 – | 1 1 61 | 4. 2 | 1 6 4 6 |
所。 逻。 啊， 五 指
渐慢
5 – | 5 3 5 | 3. i | 5 3 5 i | 2 – |
山， 啊， 万 泉 河，
原速
2 i 7 65 | 6. 5 | 3 1 4 5 | 2 V 6 5 3 | 5 i 7 2 |
红 色 的 江 山 我 们 保 卫，红 军 的 钢 枪
0 6 3 | 5 2 i | i – | i 0 ‖
永 在 手 中 握。

36. 小河淌水

1＝B $\frac{2}{4}\frac{3}{4}\frac{4}{4}$

云南民歌

慢 思念地

1.哎！月亮出来亮汪汪，亮汪汪，想起我的阿哥在深山。哥像月亮天上走，天上走，哥啊，哥啊，哥啊！山下小河淌水清悠悠。

2.哎！月亮出来照半坡，照半坡，望见月亮想起我（尼）阿哥。一阵清风吹上坡，吹上坡，哥啊，哥啊，哥啊！你可听见阿妹叫阿哥？

哎！阿哥！

37. 又唱浏阳河

1=♭A $\frac{4}{4}$ $\frac{2}{4}$

♩=58

郭天柱 词
邓东源 曲

(× - - - |: 5 61 6535 32. | 5 61 6553 5 - |

（伴）啊　　啊

1.6 5 61 6 32 1 | 6661 216 5. 53 | 2.223 236 5 6561 |

5 - - -) | 2 5 32 1 2. 32 | 5.6 1 2 3 2 - |

1.（独）家乡有支歌，一支流蜜的歌。
2.（独）神州有支歌，一支幸福的歌。

2 0 5 5 3 3 32 1 | 6 6 6 3 2 3 6 5. 56 | 1 1 6 1 2326 1 |

你唱过，我也唱过，千家万户都唱过。它染绿过湘江水，
你唱过，我也唱过，千家万户都唱过。它沸腾过千座山，

2 2 5 3 21 2 12 | 4. 4 4 12 4 5 4. | *mf* 6. 6 6 6 2 6 5 - |

映红过洞庭波。它流入湘江奔大海，歌声飞遍全中国。
激荡过万条河。它载着家乡奔世界，情比河水韵更多。

ff 5. 23 | 5 61 6535 3 2 65 | 5 61 6553 56 5. |

啊，浏阳河，啊，浏阳河，
啊，浏阳河，啊，浏阳河，

1.6 5 6 1 6 3 2 1 | 6 6 6 5 3 2 1 2. 23 | 5 61 6535 3 2 65 |

你是一支流蜜的歌，永远温暖我心窝。啊，浏阳河，啊，
你是一支幸福的歌，鼓励我们去开拓。啊，浏阳河，啊，

5 6i 6553 565. | i.65 6i 6321 | 6.661216 5. 53 |

浏阳　　河，　你是一支　甜蜜的歌，永远温暖我心窝。

浏阳　　河，　你是一支　流芳的歌，鼓励我们去开拓。

2. 223 23 6 5 0 6561 | 1.2. 5 - - 5 23 :|

D.C.

永　远温暖　我　心　窝。　依呀依子　哟！　　啊！

鼓　励我们　去　开　拓。　依呀依子　哟！

结速句

独

5 - 5 6i 6535 | 3 2. 5 6i 6553 |

哟！　浏阳　　河，　浏阳河，

（伴）

5 6i 65323 3 2. | 5 6i 6553 5 - |

浏阳　　河，　浏阳　　河，

5.6 56i 6321 | 6665 321 2 - | 2 0 5 6i6535 |

你是一支　幸福的歌，鼓励我们去　开拓。　浏阳

i.6 56i 6321 | 6665 321 2.3 | 5 6i6535 3 2. |

你是一支　幸福的歌，鼓励我们去　开拓。　浏阳　　河，

3 2. 5 6i 6553 | 5.6 56i 6321 | 6661216 5. 53 |

河，　浏阳河，　你是一支　幸福的歌，鼓励我们去开拓。

5 6i 65535 - | i.6 56i 6321 | 6661216 5. 53 |

浏阳　　河，　你是一支　幸福的歌，鼓励我们去开拓。

2.223 236 5 6561 | 5 - - - |
鼓励我们去开拓，依呀依子 哟！

2.223 236 5 6561 | 5 - - - |
鼓励我们去开拓，依呀依子 哟！

65 6i i - | *f* 5 - - - | 5 - - 0 *mp* ‖
依呀依子 哟！

65 6i i - | 5 - - - | 5 - - 0 *mp* ‖
依呀依子 哟！

38. 运河之歌

1=G $\frac{6}{8}$

电视连续节目《话说运河》主题歌

任卫新 词
王世光 曲

深情地

3· 1 5	3· 1·	3 4 3 2 5
时 光	流 转，	日 月 穿
2· 2·	2· 6 5	2· 5·
梭。	运 河	唱 着
2 3 2 1 5 6	3· 3·	5· 3 5
神 州 古	歌。	两 岸
5· 3 1	2 3 4 5 6	6· 6·
风 光，	一 路 传	说，
6 5 4 3·	5 4 3 2·	4 3 2 2 5 6
几 多 曲 折，	几 多 苦 涩，	几 多 欢
1· 1·	6· 4 1	6· 4·
乐……	历 史 的	长 河，
6 ♭7 6 5 1	5· 5·	5· 3 5
生 命 的 长	河，	中 华
5· 3·	2 3 4 5 i	i· i·
民 族	源 远 流 长 的	歌。

39. 汾河流水哗啦啦

电影《汾水长流》主题歌

乔 羽 词
高如星 曲

1=G 2/4

♩=68

(0 1 2 | 3 - | 5 2316 | 1 2. |

3 1 2 6 1 5 | 6 3 | 3 - | 2 1 2. 5 |

5 - | 3 5 6 3 | 5 2 3 6 | 5 6 |

2 - | 1 2 3 | 3 - | 3 - |

3 2 3 5) |: 6. i 17653 | 6.535 2. 3 | 5. 7 64 32 |

汾 河 流 水 哗 啦
夸 的是 汾 河 好 庄

1 - | 3. 5 7 65 | 3723 5. 3 | 6 23 1.276 |

啦， 阳 春 三 月 看 杏
稼， 喜 的是 咱 们 前 程

5 - | (3 5 2 | 3 7 6 5 | 6.356 2.376 |

花。
大。

5 –） | 5. 7 2 35 | 323 1.76 | 0 66 5 6i |
待到五月杏儿熟，大麦小麦
千家万户一条心，万马奔腾

6535 3. 21 | 0 6i 7 67 | 6.532 6 | 6. i |
又扬花。九月那个重阳
朝前跨。人心那个就像

3. 5 6 i3 | 5435 2 | 0 36 1 76 | 5.675 3.21 |
你再来，黄澄澄的谷穗
汾河水，你看那滚滚长流

55 35 6 23 | 1.276 5 | (0 3 5 6 | 1. 5 7 6 |
好像是狼尾巴。
日夜向前无牵挂。

5 – | 3. i 7 63 | 5 –） | 0 6i 7 67 |
九月那个
人心那个

2.i76 53 5 | 5 5 3 i76i | 5435 2 | 0 56 1 76 |
重阳你再来，黄澄澄的
就像汾河水，你看那

5.675 3.21 | 55 35 6 23 | 1. 1.276 5 | 5 (2 3 5 |
谷穗好像是狼尾巴。
滚滚长流日夜向前无牵

6 i | 3 23 2 i | 7. 6 7 5 | 5 43 2 17 |

6 3 2 5 | 5 2 5 | 3 - | 6 - |

6. 3 1765 | 6 5 6 | 6 61 7656 | 3. 21 |

6 2 1 | 2 5 5 3 | 3 2 3 5) :‖ 2. 1.2765 |

挂。

5 (2 3 5) | 0 61 7 67 | 2.1765 35 | 5 53 1761 |

人心那个就像汾河

5435 2 | 0 56 54 32 | 5 217 675 | 0 72 5 6 |

水，你看那滚滚长流日夜向前

2. 1 7656 | 6 - | 5 - | 5 - | 5 0 ‖

无牵挂。

40. 父亲的草原母亲的河

席慕容 词
乌兰托嘎 曲

1=E $\frac{6}{8}$

父亲曾经形容草原的景象，让他在天涯海角也从不能相忘。
如今终于见到这辽阔大地，站在芬芳的草原上我泪落如雨。

母亲总爱描绘那大河的浩荡，奔流在蒙古高原我遥远的家乡。
河水在传唱着祖先的祝福，保佑漂泊的孩子，找到回家的路。

啊！

父亲的草

3. 3. | 6 3 2 2. | 1 6 2 1 2 |
原， 啊 哈哈哎！ 母 亲 的

3. 3. | 3 3 3 3. | 2 3 1. |
河。 虽然已 经 不 能 用

3 3 1 6 5 | 6 5 6 3. | 2 2 3 6 6 |
不能用 母 语 来 诉 说， 请接纳 我 的

5 6 2. | 3 7 5 6 7 | 6. 6. :‖
悲 伤， 我 的 欢 乐。

‖: 6 6 6 3 3 3 | 2 3 2 2. | 2 2 2 5 2 |
我也是 高 原 的 孩 子 啊！ 心里有 一 首

3. 3. | 3 3 3 3. | 2 2 2 1 2. |
歌。 歌中有 我 父 亲的草 原

3 7 5 6 7 | 6. 6. :‖ 6 6 3. |
母 亲 的 河。 啦 啦 啦

2 3 2. | 2 2 2 1 2 | 3. 3. | 3 3 3. |
啦 啦 啦 啦啦啦 啦 啦 啦 啦 啦 啦

2 1 2. | 3 7 5 6 7 | 6. 6. | 6. 6. ‖
啦 啦 啦 啦 啦 啦啦啦 啦

41. 塔里木河

1＝A $\frac{2}{4}$

♩=80

陈克正 词
克里木 曲

| 6 6 6 6 4 | 3 1 2 | 3 3 2 1 7 | 1 – |

塔里木河 呀 故乡 的 河，
当 我骑 着 骏马 天山 巡 逻，

| 6 6 6 6 4 | 3 1 2 | 3 2 1 7 | 6 – |

多少 回你 从 我的 梦中 流 过。
好 像又在 你的 怀里 轻轻 颠 簸。

| 6 6 6 6 4 | 3 1 2 | 3 3 2 1 7 | 1 – |

无论 我 在 什么 地 方，
当我 穿 过 炽热 的 沙 漠，

| 6 6 6 6 4 | 3 1 2 | 3 2 1 7 | 6 – |

都要 向 你 倾诉 心中 的 歌。
你又 流 进 了 我的 心窝 窝。

| 6 6 6 6 | 6 6 6 6 | 6 6 7 1271 | 7 1 7 5 6 |

塔里木河， 故乡的河， 我爱着你呀， 美丽 的河。

| 6 6 6 6 | 6 6 6 6 6 | 6 6 7 1271 | 7 1 7 5 6 |

你拨动着 悠扬的琴弦， 伴随我唱起 欢乐 的歌。

| 6 – | 6 – | 3 5 4 3 | 2 6 |

哎！ 塔 里木 河，

5 4 3 2 3 4 6 | 3 - | 3 - | 2 2 1 2 3 | 2 1 7 6 7 5 |

故 乡 的 河， 你用乳汁 把我养育，
紧握钢枪 保卫你，

1. 1 0 7 6 7 2 | 6 - :‖ 2. 1 0 7 6 7 2 | 6 - ‖

母 亲 河！ 母 亲 河！

42. 巴比伦河

1=G 4/4

中速　开阔、激情地

美国歌曲
火尔　力成译配

0 5̣ 1 2 | 3 - - - | 3 5̣ 1 2 |

Mm(姆)　Mm

3 - - - | 3 3 4 3 | 2 - - - |

Mm

2 2 2 3 | 2 - 1 - | 1 5̣ 1 2 |

Mm　Ah(呵)

3 - - - | 3 5̣ 1 2 | 3 - - - |

Ah

3 3 4 3 | 2 - - - | 2 2 2 3 |

Ah　Ah

2 - 1 - | 1 5̣5̣ 11 2 |: 3 33 3 0 |

By the ri-ver sof Ba by- lon,
我心上的河 巴 比伦,

0 5̣ 1 2 | 3 - - - | 0 3 4 3 |

there we sat down, Yeah, we
在 你 身 旁, 我 低 声地

2 0 0 0 | 0 2 2 2 2 3 | 2 1 - 0 |

wept when we re- membered Zi- on.

唱，伴着那眼泪悲伤。

1. 0 5 5 1 1 2 :| 2. 0 5 i 6 5 |: 3 3 3 2 3 2 2 |

By the ri- vers of For there they that car- ried us a way in- cap-

我心上的河 可恨侵略者 狠毒凶残，践踏

3 3 3 3 0 2 | 1 1 2 1 6 | 1 - 0 5 |

tiv- i- ty Re- quir- ing of us a song, Now

我家园。我被迫到处流浪，唱着

1 1 1 1 2 | 3 3 3 2 3 | 2 - - - |

how shall wesing the Lordssony in a Strange

心中的歌流浪在异土他

1 - - - | 1. 0 5 i 6 5 :| 2. 0 5 1 2 |

land? Fortherethey that Ah (呵)

乡。可恨侵略者

3 - - - | 0 5 1 2 | 3 - - - |

Ah

3 3 4 3 | 2 - - - | 2 2 2 3 |

Ah Ah

2 - 1 - | 1 0 5 5 | 1 1 1 1 4 |

Let the words of our

用我那满腔的赤

5 - 5 5 5 5 | 1 1 1 1 1 4 | 5 - 5 5 |

hearts and the med - sa- tions of our- hearts be ac-

诚，还有我那火热的歌声，歌唱

1 1 1 1 1 4 | 5 - 5. 4 | 3 - 5 5 |

cept- a- ble in thy sight here to- night Let the

你巴比伦，我心上的河，故乡的

3 - 5 6 5 | 2 - 5 5 5 5 | 3 3 5 6 5 |

words of our- hearts and the med- i- ta- tions of our-

河，心上的河。你从我的心上缓缓流

2 - 5 5 | 3 3 3 5 6 5 | 2 - 3. 2 |

hearts be ac- cept- a- ble in thy sight here to-

过，故乡的河，我那心上的河，巴比

1 - - - | 1 5 5 1 1 2 ‖: 3 3 3 3 - |

night By the ri- ver sof Ba- by- lon,

伦！我心上的河，巴比伦，

3 5 1 2 | 3 - - - | 3 3 4 3 |

there we sat down, yeah we

在你身旁，我低声地

2 0 0 0 | 2 2 2 2 2 3 | 2 1 - 0 |

wept when we re- mem- be- red Zi on

唱，伴着那眼泪悲伤。

1. 0 5 5 1 1 2 :‖ 2. 0 5 1 2 | 3 - - - |

By the ri- ver sof Ah

我心上的河，呵

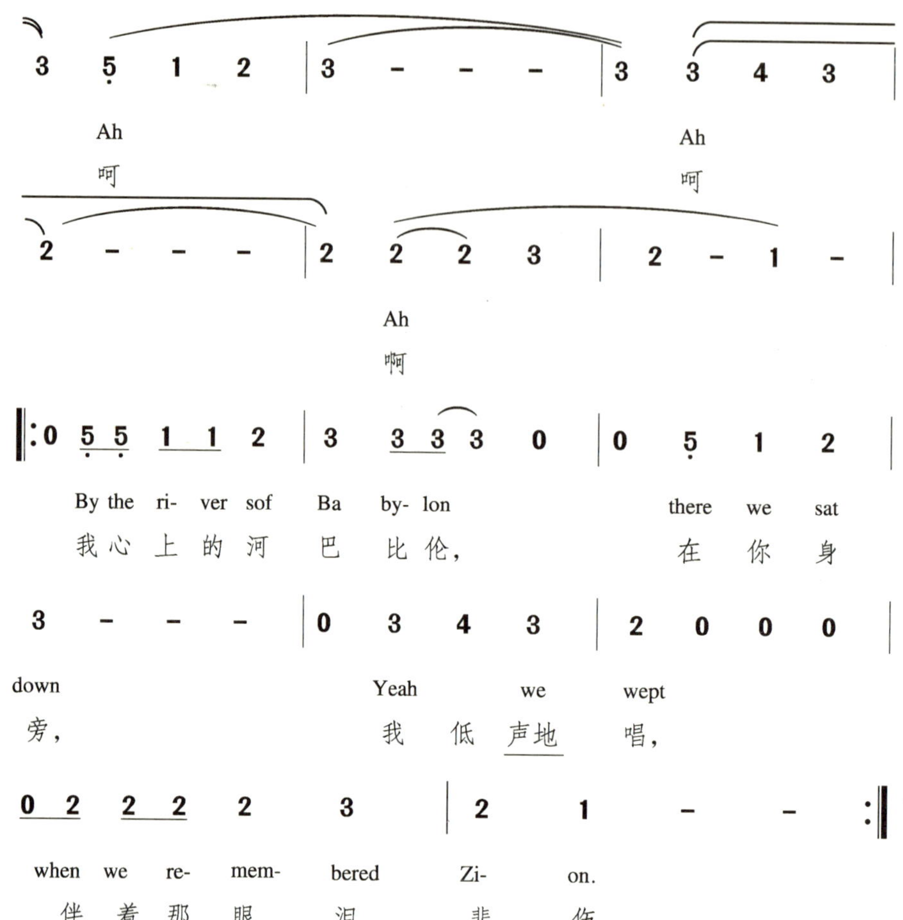
Ah
呵
Ah
呵
Ah
啊
By the ri- ver sof Ba by- lon there we sat
我心上的河 巴 比伦， 在 你 身
down Yeah we wept
旁， 我 低 声地 唱，
when we re- mem- bered Zi- on.
伴 着 那 眼 泪 悲 伤。

43. 密西西比河啊

美国电影《汤姆叔叔的小屋》插曲

1＝F 4/4

肖　　章 译词
李青蕙 记谱配歌

3. 3 6. 6 1 6. | 5. 5 3. 5 6 - |

1.密 西 西 比河 啊， 饱 经沧 桑。
2.密 西 西 比河 啊， 滚 滚向 海洋。

6. 6 1. 1 3 2. | 1. 1 6. 6 7 - |

密 西 西 比 河 啊， 你 我情 意长。
密 西 西 比 河 啊， 送 我去 他乡。

1. 3 5. 3 5 3. | 5. #4 2. 3 ♮4 - |

在 我心 中燃 起 炽 热的 幻 想，
除 去我 的忧 伤， 让 我快乐 坚 强，

♭3. 2 1. 6 ♮3 #5 7 5 | 6 - - - ‖

分 别以 后你 知 我悲 伤。
哭 泣的日 子实 在 太 长。

44. 月亮河

美国电影《在梯芬尼公司进早餐》插曲

1=C 3/4
中速

[美]强尼·牟瑟 词
[美]亨利·曼契尼 曲
薛范 译配

5 – – | 2̇ i̇ – | 7. 6 5 4 | 5 – 1 |
月 亮 河， 河 流宽又 阔， 我

7. 6 5 4 | 5 – 1 | 2 – – | 2 – 3 |
总 有一天 要 渡 过。 旧

1 – – | 5 3. 2 | 1 – – | 5 3. 2 |
梦 织 成 心 儿 残 破， 你

1 3 5 | i̇ 7. 6 | 7 6. 5 | 6 – – |
无 论 去 何 处， 我 追 随 不 舍。

5 – – | 2̇ i̇ – | 7. 6 5 4 | 5 – 1 |
你 和 我 一 同去漂 泊， 看

7. 6 5 4 | 5 – 1 | 2 – – | 2 – 3 |
沧 海桑田 有 几 多。 你

1 – – | 3 – 5 | i̇ – – | 2̇ – i̇ |
我 弯 向 彩 虹 尽

5 – – | 5 7 6 5 4 | 5 – – | 5 1 7 6 5 4 |
头， 一路 去探 索。 我 亲爱的好伙

5 – – | 1 – – | 4 2 – | 2 – 3 |
伴， 月 亮 河 和

1 – – | 1 – – ‖
我。

伍 碧绿色咏叹

45. 洪湖水，浪打浪

歌剧《洪湖赤卫队》选曲

1=F $\frac{4}{4}\frac{2}{4}\frac{3}{4}$
中速

梅少山　张敬安
梅会召　欧阳谦叔　词
张敬安　欧阳谦叔　曲

(5 - 5 - | 6525 6 5 2 5 - |
6.5 6 1 5 65 3235 | 2 - - - | 1 - 1 - |
2161 2161 2 1 6 1 | 3.2 3 5 2327 6561 | 5 - - -) |

5 6163 23 2 65 | 3 32 5 321 1 1 65 | 2 5 35 6 16 5. 3 |
(独)洪湖水呀 浪呀么浪打浪啊，洪湖岸边

2 22 3235 11 65 | 351 2 3 1 2.3 | 5.6 321 2 - |
是呀么是家乡啊。清早船儿去呀去撒网，

5 6 1 5653 232165 | 1.2 3253 2. 35 | 2327 6561 5 - |
晚上回来鱼满舱。

(6.165 4543 2432 1. 3 | 2.327 6561 5 -) | 1. 1 6 1 |
四处野鸭

3. 2 |
啊！

6 5 3 5 | 7· 65 | 1 - | 0 23 1 2 | 4. 6 5 |

和菱藕，啊！人人都说

3 5 - | 2. 3 2 1 | 6156 1 | 2 5 | 6 5 |

秋收满畈稻谷香。啊

5 6 i 6 5 | 4. 3 2 | 1 1 2 3 | 1276 5 - | 1. 2 3253 |

天堂美，怎比我洪湖鱼米

6 i - | 2 5 | 1 1 2 3 | 1276 5 - | 1. 2 3253 |

怎比我洪湖鱼米

2. 3 5 | 2327 6561 | 5 - | (6165 4543 2432 1. 3 |

乡。

2. 3 5 | 2327 6561 | 5 - | 0 0 0 0 |

乡。

重唱

2327 6561 5 -) | 5 6i63 2 3 2 65 | 3 3 2 3235 1 1 65 |

洪湖水呀，长呀么长又长啊，

0 0 0 0 | 0 0 2 3532 | 1. 2 3. 2 |

洪湖水呀，长呀

2 5 35 6 i6 5 3 | 2 2 2 3 235 1 1. | 2.2 1 2 3235 2.3 |

太阳一出闪呀么闪金光啊。共产党的恩情

7 7672 5 - | 5 - 5 3. 23 | 6 - 1 7 |

长又长，啊，共产

5 i 6 5.6 3 1 | 2 - 0 0 | 5 56 3 5 6. i 6 5 |

比那 东 海 深。 渔民 的 光

6. 56 1 - | 5 5 5 656 6 i 5. 65 | 3. 2 1 1 2 6 1 |

党 像呀么像 太 阳。 渔民 的

5 3. 3. 2 | 1 1 6 5 1.2 3253 | 2. 12 5. 53 |

景 一年 更比一 年 强。

23 521 65 6 | 3 - 5 - | 5653 2 32 1. 53 |

光 景 一 年 更 比 一年 强。

mp

2327 6561 5 - | 5 - - 0 ‖

mp

2327 6561 5 - | 5 - - 0 ‖

46. 微 山 湖

电视连续剧《铁道游击队》主题曲

1＝A $\frac{4}{4}$

山东民歌风

张鸿西 词
吕其明 曲

1. 微山湖哎，阳光闪耀，翩翩白帆好像云儿飘。是谁又在弹响土琵琶？听春风传来一片歌谣。
2. 微山湖哎，卷起春潮，朵朵浪花在把英雄找。当年抗日健儿何处去？看青松巍巍，绿水滔滔。

哎嗨哟，哎嗨咿哟，俺铁道游击队，

为国为民立下大功劳嗨哟。
丰功伟绩人民永远忘不

了嗨哟，人民永远忘不了嗨嗨哟。

47. 太 湖 美

1=C $\frac{2}{4}$

慢 甜美地

任红举 词
龙 飞 曲

1. 太湖美呀，太湖美，美就美在太湖水。水上有白帆哪，啊 水下有红菱哪，啊 水边芦苇青，水底鱼虾肥。湖水织出灌溉网，稻香果香绕湖飞。
2. 太湖美呀，太湖美，美就美在太湖水。党的恩情长呀，啊 春风湖面吹呀，啊 水是丰收酒，湖是碧玉杯。湖岸人民跟党走，建设四化显神威。

哎咳哟，太湖美呀太湖美！

48. 翠 湖 寒

1=C $\frac{3}{4}$

中速

孙 仪 词
骆明道 曲

我

曾 在 翠 湖 寒，留

下 我 的 情 感，如

诗 如 画，似 梦似 幻，那 是

我，那 是 我 的 初 恋。朝

朝 暮 暮 怀 念，翠

湖 带 雨 含 烟。我

心 我 情 依 旧，人儿

1.
2 - 5. 3 | 6. 5 6 3 | 3 1 1 - | 1 - (5 3 |
他 人儿 他 是否依 然？

2 - 5 3 | 6. 5 6 3 | 1 - - | 1 -) 5 :‖
我

2.
渐慢
6. 5 6 3 | 3 1 1 - | 1 - (5 3 | 2 - 5 3 |
他 是否依 然？

6 - 5 6 | 3 1 - | 1 - 0) ‖

49. 长湖水，清又凉

电影《阿诗玛》插曲

1=F $\frac{2}{4}$

中速　抒情地

葛　炎　刘　琼　词
罗宗贤　葛　炎　曲

哎！

阿若底哟是个好地方，高高的青松树长满了山冈。长湖的湖水哟又清又凉，青青的翠竹秀又长哎喽秀又长。

撒尼人哟勤劳而坚强，高山上放牛又放羊。湖边踩麻哟田地里插秧忙，响亮的歌声传四方哎喽传四方。

50. 还是我们洞庭美

1=♭B $\frac{2}{4}$

夏劲风 词
魏景舒 曲

辽阔地、自由地
散板

看惯了洞庭的山，看惯了洞庭的
喝惯了君山的茶，喝惯了洞庭的

水，呃，走遍天南和地
水，呃，尝遍山珍和海

更慢

北，还是我们洞庭美，还是我们洞
味，还是我们洞庭美，还是我们洞

稍快

庭美。
庭美。

洞庭美，洞庭美，洞庭美吔，船儿湖上
洞庭美，洞庭美，洞庭美吔，白米饭儿

漂，云儿头上飞。稻花香里
香，餐餐鱼儿肥。吃一盘湘莲

视　　金　晖　哎，　　中　秋　　月　　下　织芦
甜　　透　心　哎，　　大鸭蛋儿　更　　馋　人的

苇。　　哎啰　嗬　　嗬，　　　　　　　　听　一晚
嘴。　　哎啰　嗬　　嗬，　　　　　　　　再　品上

洞　庭　的　　渔歌　会　吔，
洞　庭　的　　酒一　杯　吔，

放慢

三　天　　也　　不　　想　　睡　吔，　　　　　三　　天也
三　年　　也　　不　　解　　醉　吔，　　　　　三　　年也

结束句

不　　想　　　睡！　　　　　哎，
不　　解　　　醉！

哎　　　啰嗬　　　　　　　　　　啰　　　嗬　　嗬　　咳

ppp

嗬。

51. 八百里洞庭美如画

于 沙 词
孙桂庆 曲

1=C $\frac{2}{4}$

啰 呃啰呃啰 嗬 呃 啰呃啰 嗬 呃

1.千 里 金堤 柳如烟， 呃 嘿 芦苇 荡里 落 大 雁。 渔歌 催开 千 张 网， 呃 嘿 荷花 映红 水底 天。 呃 啰 呃 八百里 洞庭 美如 画 哟， 我们 生活在 画里 边。 嘿

2.禾 苗 吐穗 织绿 毡， 呃 嘿 油菜 开花 镶 金 边。 燕子 归来 迷 了 路， 呃 嘿 谷堆 高过 山尖 尖。 呃 啰 呃 八百里 洞庭 美如 画 哟， 我们 生活在 画里 边。 嘿

花园 不算 美 哟， 湖 乡 胜花 园 啰， 看 一眼洞庭
天堂 不算 美 哟， 美 景 在人 间 啰， 走 过了洞庭

八 百 里 哟， 心 里 只觉 甜。 呃 啰
八 百 里 哟， 赞 歌 唱不 完。 呃 啰

呃 呃 呃 啰

呃 呃 啰 呃 啰 嗬

呃。

52. 爱情湖

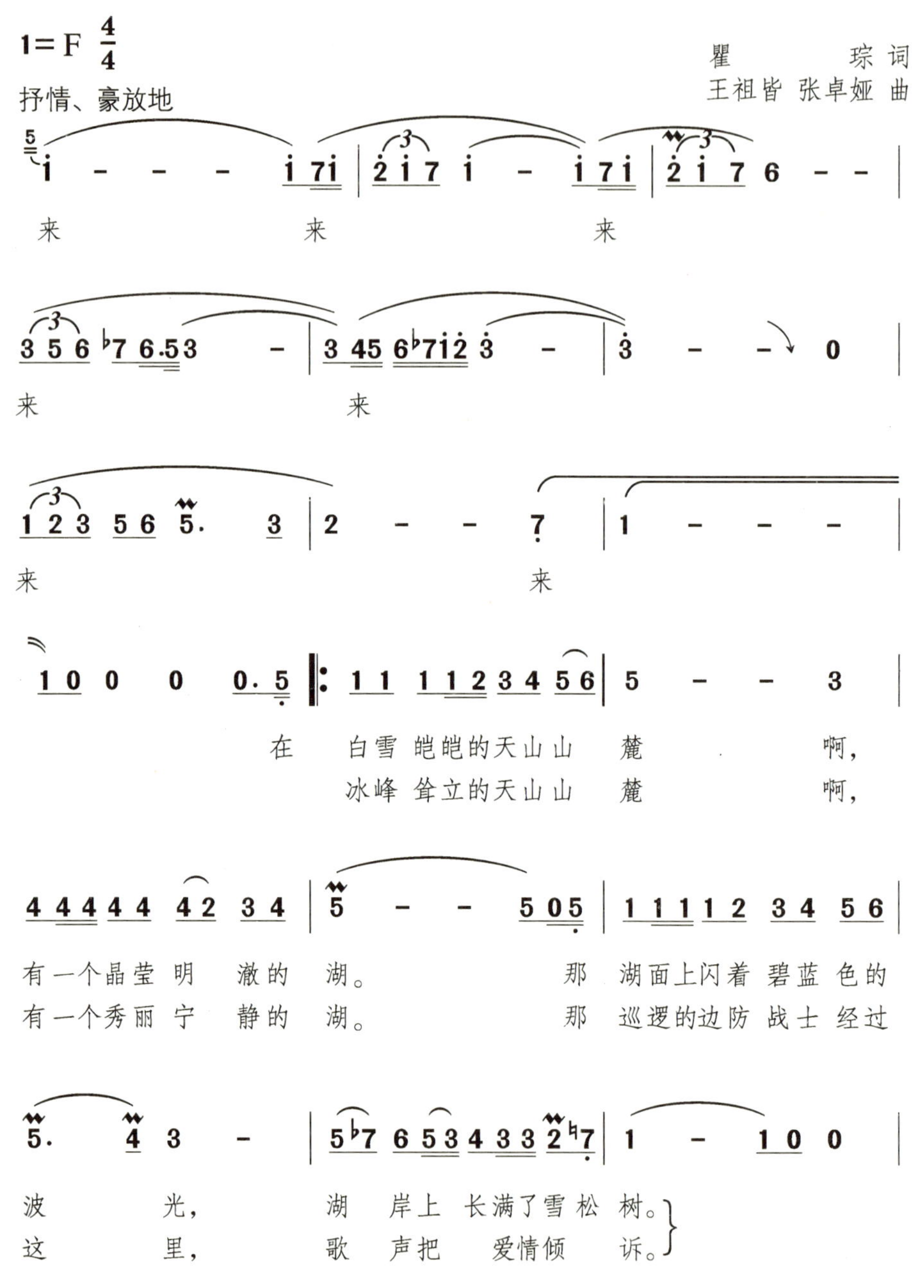

0 0 0 0.1 | 6 - - 6 7 i | 2 i 7 6 4 5 6.. 1 |

1=F 4/4
抒情、豪放地
瞿 琮 词
王祖皆 张卓娅 曲
来 来 来
来 来
来 来
在 白雪 皑皑的天山山 麓 啊，
冰峰 耸立的天山山 麓 啊，
有一个晶莹 明 澈的 湖。 那 湖面上闪着 碧蓝 色的
有一个秀丽 宁 静的 湖。 那 巡逻的边防 战士 经过
波 光， 湖 岸上 长满了雪 松 树。
这 里， 歌 声把 爱情倾 诉。

来 来 来

6 - - 6 7 i | 2 i 7 6 4 5 6.. 7 | 5 - - - |

来 来

𝄋

6 7 i 2 i. 7 6 | 5 i 5 3 4 3 2 | 5 i 5 3 3 4 3 2 7 |

晶 莹的湖 啊，明 澈的湖 啊，湖 中 贮满了爱情 的传

秀 丽的湖 啊，宁 静的湖 啊，战 士把青春 献给 祖

5 - - - | 6 7 i 2 i. 7 6 | 5 i 5 3 4 3 2 |

说。 晶 莹的湖 啊，明 澈的湖 啊，

国。 秀 丽的湖 啊，宁 静的湖 啊，

5 ♭7 7 6 5 3 4 3 3 2 ♭7 | 1 - 1 0 0 | [1.] 0 0 0 0.5 :|

这里是阿尔泰圣洁的爱 情 湖。 在

心中有一片 无边的爱 情

[2.] 0 0 0 0.1 | 6 - - 6 7 i | 2 i 7 6 4 5 6.. 1 |

来 来 来

6 - - 6 7 i | 2 i 7 6 4 5 6.. 7 | 5 - - - ‖

来 来 D.S.

结束句

1 - 1 2 3 4 |: 5 ♭7 7 6 5 3 4 3 3 2 ♭7 |

湖。 啊， 心 中 有 一片 无 边 的 爱 情

1 - - - :| 5 - - 4 5 4 | 3 - - - ‖

渐慢

湖， 爱 情 湖。

53. 清清骆马湖

任红举 宿豫哥 词
印 青 曲

1=#F 4/4 2/4

清清的骆马湖啊一望无穷。站在那湖岸上啊从西望不到东。秋水养肥虾和蟹，碧波环抱菱和藕。丰收的渔歌一声声，唱到我心中。
清清的骆马湖啊一望无穷。站在那湖岸上啊从西望不到东。万代长流天上水，春天送来八面风。欢乐的笑声一阵阵，飘进我心中。

无穷无尽啊万顷爱，我的故乡情啊总是这样浓。无穷无尽啊水连天，

5 3 i 6 5 3 2 2 1 2 | 1. 1 - - - :‖ 2. 1 - - - ‖

盼 你明天 更加繁 荣。 荣。 D.S.

结束句

1 - - - | 0 6 6 5 6 6 i | i - - - |

荣。 明天会更 繁

6 i i - - | i - - - | i 0 0 0 ‖

荣。

54. 一面湖水

1= A $\frac{4}{4}$

♩=88

王新莲 词

齐 秦 曲

有人说

高 山 上的湖 水，

是躺在 地球 表 面 上 的一颗 眼泪，

那么 说

我枕畔 的眼泪， 就 是挂

在 你心 间 的一面 湖 水。

1.
3 0 2.5 5 6 | 3 - - - | 0 0 2.5 5 6 |
一面湖水， 一面湖

6 - 6 3 3 | 3 - - - ‖ 2. 0 0 2. 5 5 6 |
水。 D.C. 一面湖

6 - - 6 3 | 3 - 2. 5 5 i 6 | 6 - - - |
水， 一面湖水。

6 - - - | 0 7 7 - - | 7 - - - |
呜！

7 - - - | 7 - - 0 ‖
D.S.

55. 多彩的万绿湖

1= #F $\frac{4}{4}$
优美地

蒋开儒 词
孟庆云 曲

(5 3 5 3 5 3 1 6 | 1 6 1 6 6 - | 5 3 5 3 5 3 1 6 |

1 6 6 2 - | 5 1 3 6 5 - | 1 5 6 3 5 - |

‖: 5 1 2 3 5 2 6 3 | 1 - - -) | 5 65 3 56 5. 01 |

1. 万 绿 湖 啊，
2. 万 绿 湖 啊，

2 32 1 23 5 - | 6 1 0 26 5 65 3 | 2 3 1 2 - |

你 好 美， 太阳 出来一 汪 胭 脂 水。
你 好 美， 月亮 出来满 湖 银 光 醉。

5 65 3 56 5. 01 | 232 1 2 3 6 0 5 6 | 1 1 0 26 5 3 5 6 |

万 绿 湖 啊，你 好 美， 那个 红呀， 那个红呀，就
万 绿 湖 啊，你 好 美， 那个 白呀， 那个白呀，就

5. 3 2.321 5 2 | 1 - - - | 𝄋 3. 5 5 i 7. 6 |

像 那万 朵红玫 瑰。
像 那漫 天雪花 飞。
万 绿 湖 啊，

1. 2 3 36 5 - | 3 5 5 i 6563 | 5 1 1 3 2 i 2 - |

你 好 美， 绿色 长廊 镶 了 镶了块大 翡 翠。

3. 5 5 i 7. 6 | 3 5 56 1 6 5 6 | 1 1 0 2 6 5 3 0 56 |

万 绿 湖 啊，你 好 美！ 那个 绿呀，那个绿呀，啊，

2/4 5. 1 | 4/4 2. 321 5 2 1 5 67 | 1. i - - - |

绿 得让人 醉，让人 醉。

(i 2 2 6 i - | i 2 2 i 5 -) :| 2. i - - - :|

醉。

D.S.

结束句

i - - - | 2 - i 06 | i - - - | i - - - ||

醉。 让 人 醉。

56. 北方的湖

1=A $\frac{4}{4}$

♩=72

宋晓明 词

张卓娅 曲

(0 3 2 3 5 3. | 0 3 2 3 6 3. | 0 6 6 3 2 1 5 |

6 5 6 –) | 0 6. 3 1. 6 | 7. 3 5 – – |

（伴）啊， 北 方 的湖，

6. 3 1. 6 7 5 | 6 – – 6 3 |: 1. 1 1 6 6 7 3 |

啊， 北 方 的 湖， 月 光 是 你 的 微

色 回 归 着 梦

6 – – 6. 3 | 1. 1 1 6 6 7 5 | 2 3 – – 3 5 |

笑， 阳 光 是 你 的 翅 膀。 我 的

想， 金 色 收 获 着 希 望。 你 用

5. 3 3 1 1 6 | 2. 1 2 3 3 2 3 3 | 5 3 3 – 3 5 |

目 光 向 你 问 候， 你这圣洁 辽阔的 地 方。 我 的

彩 色 召唤 未 来， 我们热情 美丽的 故 乡。 你 用

5. 3 3 1 1 6 | 2. 1 2 3 3 2 3 3 | 5 3 3 – – |

目 光 向 你 问 候， 你这圣洁辽阔的 地 方。

彩 色 召唤 未 来， 我们热情美丽的 故 乡。

3 6. 3 1. 6 | 7. 3 5 – – | 6. 3 1. 6 7. 3 |

噢， 北 方 的湖， 噢， 北 方 的

1. 6 - - 6. 3 :‖ 2. 6 - - - | 6 1 1 6 7.7 7 5 6 |
湖。 绿 湖。 空中鸟儿知道，水里

7 7 5 6 3 - | 6 1 1 1 6 7.7 7 56 | 7 7 6 5 2 3. |
鱼儿知道， 喧嚣的人群寻找，拥挤的心灵寻找。

3 3 5 5. 3 | 3 1 1 6 2. 1 2 | 3 3 3 2 3 3 5 3 3 |
问一问 啊，北 方的湖，他们 都知道那里是天堂。

3 3 5 5. 3 | 3 1 1 6 2. 1 2 | 3 3 3 2 3 3 5 3 3 |
问一问 啊，北 方的湖，他们 会找到梦中的地方。

3 6. 3 1. 6 | 7. 3 5 - - | 6. 3 1. 6 7. 5 |
啊， 北 方 的湖， 啊， 北 方 的

6 - - 0 3 | 6.6 6 6 5 6 7 | 7.3 3 - 0 3 |
湖。 你 敞开大海一样的 胸膛， 你

6. 6 6 6 5 6 7 | 6 7 2 - - | 1 2 3 5 3 5 6 3 5 6 7 |
放飞青春自由的 畅 想。 啊，

2 3 5 6 3 3 0 3 | 6. 6 6 6 5 6 7 | 7.3 3 - 0 3 |
你 敞开大海一样的 胸膛。 你

6. 6 6 6 5 6 7 | 6 7 2 - - | 1 2 3 5 3 5 6 3 5 6 7 |
放飞青春自由的畅想。 啊，

2 3 563 3 - | 0 6.3 1. 6 | 7. 3 5 - - | 6.3 1. 6 7. 3 |
啊，北方的湖， 啊，北方的

6 - - - | 6 7 - - | 7 - - 3 | 6 - - - ‖
湖， 北方 的 湖。

57. 兴凯湖，我心中的湖

1=♭B $\frac{2}{4}$

中速 深情地

郭建中 词

刘辉演 曲

兴凯湖 哟，我
兴凯湖 哟，我

家乡的湖 哟，你是祖国边陲的明
心中的湖 哟，你是这黑土闪烁的明

珠。涛声隆隆，涛声隆隆，
珠。浪花朵朵，浪花朵朵，

擂响了千面奋进的鼓。啊，
唱给了人们心中的湖。啊，

苍凉在涛声中退潮，啊，
喜悦在浪花上荡漾，啊，

日子在涛声中复苏了。哎，兴凯湖
渔歌在浪花里飞出。哎，兴凯湖

哟， 你是 神 话的 摇篮， 兴凯湖 哟， 你是
哟， 你是 歌 乐的 长廊， 兴凯湖 哟， 你是

蕴涵 激情的 宝 库。 我要放 歌 向你倾
蕴涵 激情的 宝 库。 我要高 歌 为你祝

诉， 感谢 你 滋润 这片黑 土。 啊，
福， 祝福 你， 祝福 你，

走 向

通 途。

58. 北湖好风光

1=♭B $\frac{4}{4}$

中速 优美地

李允祥 词
张鲁雅 曲

1. 2. 3. 北 湖 美，美在好风 光，

风软 游 人醉，荷送阵阵 香。碧波荡 漾
水暖 鱼 儿跃，渔家喜洋 洋。轻舸争 流
才登 望 湖阁，又见芦苇 荡。一抹霞 光

连 天 色，翠湖 环 岛 百 鸟儿 唱。啊，
浪 打 浪，小伙儿撑 船 撒 网 忙。啊，
映 碧 水，万枝 柳 丝 透 斜 阳。啊，

北湖 好风 光，好 风 光，
北湖 好风 光，好 风 光，
北湖 好风 光，好 风 光，

北 湖岸边我家乡，我 家 乡。一方好 水
北 湖岸边我家乡，我 家 乡。湖河相 连
北 湖岸边我家乡，我 家 乡。当把风 流

载 千 秋， 民 富物饶 百姓 祥， 百 姓 祥，
润 苍 生， 运 河之都 新景 象， 新 景 象，
唱 今 朝， 旅 游城市 美名 扬， 美 名 扬，

百 姓 祥， 哎。 北 湖
新 景 象， 哎。
美 名 扬， 哎。

好 风 光， 北 湖 岸 边 我家 乡，

当 把 风 流 唱 今 朝， 旅游 城 市

美名 扬， 美 名 扬。

蔚蓝色梦幻

59. 大海啊，故乡

1=F $\frac{3}{4}$

电影《大海在呼唤》主题歌

稍慢 深情地

王立平 词曲

(5 6 5. 3 | 5 6 5 - | 65 41 65 | 5 - - |
3 4 3. 21 | 6 2 2 - | 4 5 4 3 1 6 | 1 - -) |

1 2 1. 7 6 | 5 3 3 - | 3 4 3. 2 1 | 6 2 2 - |
小时候 妈妈 对我讲， 大 海 就是 我故乡，

7 1 7. 65 | 5 2 2 - | 4. 3 1 6 | 1 - - |
海 边 出 生， 海 里成 长。

5 6 5. 3 | 5 6 5 - | 6 5 4 1 1 65 | 5 - - |
大 海 啊 大 海， 是我 生活的地 方，

3 4 3. 2 1 | 6 2 2 - | 4 5 4 3 16 | 1 - - |
海风 吹， 海浪 涌， 随我 漂流 四 方。

5 6 5. 3 | 5 6 5 - | 6 5 4 1 65 | 5 - - |
大 海 啊 大 海， 就像 妈妈 一 样，

3 4 3. 2 1 | 6 2 2 - | 4 5 4 3 16 | 1 - - | 1 - 0 ‖
走遍天 涯 海 角， 总在我的身 旁。

60. 我爱这蓝色的海洋

胡宝善　王传流　词
胡　宝　善　曲

1=E $\frac{3}{4}$

(56712 |: 3 5 6 | 1̇. 2̇ 1̇6 | 5. 3 65 | 3 - - | 5 6 1 |

2 3 6 | 5. 3 23 | 1 11 3 | 5 11 3) |

5 3 3 | 5 3 2 | 1. 2 31 | 5 - - |

1.2.3.我爱这蓝色的海洋，

1 2 3 | 5 - 1̇ | 7 6 34 | 5 - - |

祖国的海疆壮丽宽广。
祖国的海疆有丰富的宝藏。
祖国的海燕在暴风雨里成长。

6 - 6 | 5 - 3 | 1 61 23 | 2 - - |

我爱海岸耸立的山峰，
我爱晴朗辽阔的海空，
我爱大海的惊涛骇浪，

3 5 6 | 1̇ 6 5 | 3. 52 | 1 - - |

俯瞰着海面像哨兵一样。
英雄的战鹰在展翅飞翔。
把我们锻炼得无比坚强。

(5 6 1 2 35) | 6 - 7 | 2 i 6 | 5· 3 21 |

啊！
啊！
啊！

5 - - | 6·65 3 | 1·2 3 5 3 | 23 2 1 |

海军战士红心向党，严阵以待
穿云雾，跨海浪，海军战士
战舰奔驰劈涛斩浪，党中央

65 13 2 | 1 2 3 | 5 - 3 | 6· i 65 |

紧握钢枪。我守卫在海防线
胸有朝阳。我守卫在海防线
指引航向。我守卫在海防线

3 - - | 5 6 1 | 3 - i | 1.2. 6 - - |

上，
上，
上，
保卫着祖国，

5· 3 2 3 | 1 - (56712) :‖ 3. 6 - - | 6 - - |

无尚荣光。国，

5 - 3 | 5 - 6 | i - - | i - - | i 0 ‖

无尚荣光。

61. 深深的海洋

女声二重唱

南斯拉夫民歌
李宝树 译配

1=D $\frac{3}{4}$

1.深深的海洋，你为何
2.年轻的海员，你真实地
3.啊，别了，欢乐！啊，别了，

不平静？不平静
告诉我，可知道
青春！不忠实的

就像我爱人，那一颗动
我的爱人，他如今
少年抛弃我，叫我多么

摇的心。不 心。
在哪里？可 里？
伤 心！不 心！

62.问 大 海

电视连续剧《香港地恩仇记》主题歌

1=C $\frac{4}{4}$

西彤　黄加良　阿铭 词
郑　秋　枫 曲

1.海茫茫，夜漫漫，世间何处有青天。安乐时光难寻觅，忧郁年复一年又一年。人间悲苦何时了？问大海，问苍天。

2.风飕飕，雨点点，苦海孤舟恶浪颠。满腹怨愤口难诉，仇恨深深埋心间。一代恩仇说与谁？唤大海，唤苍

2.

3 - - - | i. i 7 6 | 5 - - - | 7 - 65 65 |

天。 一 代 恩 仇 说 与

3 - - - | 6. 5 4 3 | 6 - - 2 | 7. 5 2 3 |

谁？ 唤 大 海， 唤 苍

1 - - - | 7 5 2 3 | 1 - - - ‖

天， 唤 苍 天。

63. 东方有一片海

电视剧《北洋水师》主题歌

冯小宁 词
王小勇 曲

1=B $\frac{4}{4}$
♩=54

（童声伴）东 方 有一片

海， 海风 吹 来童 年的 梦。 天

外 有一只 船， 期待着 漂 向那天

1=♭E

边。（独） 东 方 有一片 海， 海风

吹 过五千年的 梦。 天 外 有一只

船， 船一去 漂 来 的都 是泪， 洒 在

岸 边。 再不愿 见那 海，

再不想看那 只 船， 却回头

又向它走 来，却又 回过 头， 向 它 走 来。

64. 海的女儿

1=F $\frac{2}{4}$

活泼、跳跃地

韩 伟词
张重祥 曲

(5. 5 5 5 | 5 5 1234 | 5 5 0 | 1234 5 | 5. 5 5 5 |
6 6 1234 | 432 0 5 | 432 0 | 6. 6 6 6 | 6 5 0 |
6 6 0 | 12345 605 | 7. 7 7 7 | 7 7 6567 | i 5 4 3 |
2 1 7 6 | 5 - | 5 - | 1 - | 1 5) |

5 - | 3. 1 | 6 5 | (6 5) | 5 - |
军 旗 啊 军 旗 （军 旗），海

3. 1 | 2 5 | (2 5) | 6 - | 6. 5 |
风 中 飞 扬 （飞 扬）。战 舰 啊

4 4 3 | 2 - | 5 5 | 4 3 2 | 3. 2 |
战 舰， 轻 轻 在 摇 荡。

3 - | 5 - | 3. 1 | 6 5 | (6 5) |
风 雨 啊 风 雨 （风 雨），

5 - | 3. 1 | 2 5 | (2 5) | 6 - |
在 为 我 梳 妆 （梳 妆）。海

6. 5 | 4 4 3 | 2 - | 3 5 | 2 3 |

鸥 啊 海 鸥，在 伴 我 飞

1 - | 1 - | 6 6 6 7 | 1 2 1 | 3 - |

翔。我是海的女儿，

我是海的女儿，

3 - | 2 2 2 3 | 4 3 2 | 5 - | 5 - |

青春绽开大海上。

理想闪耀大海上。

1. 1 | 6 5 | 5 5 1 2 | 3 - | 2 2 2 1 |

螺号教我唱歌谣，童年写在

守卫着白帆白云，巡逻着

6 6 3 1 | 2 - | 2 - | 3. 2 | 3 0 3 |

沙滩旁。多少次我

渔火星光。身边有

2 3 2 1 | 6. 3 | 3 4 | 5 - | 6 5 |

枕着涛声睡，在梦中穿起

(5 - | 3 -) |

多少好战友，让天海长城

5 - | 5 - | 5 - | 3 3 2 | 1 0 :||

新军装。

筑向远方。

‖: 5 5 0 5 | 5 0 1 3 | 5 5 (0 1 3 | 5 5) 0 6 | 6 6 0 6 |

眼睛 里 有 一片 蔚蓝 （一片 蔚 蓝），啊 心灵 里
浪花 送 来 亲人 嘱托 （亲人 嘱 托），啊 飘带 系

6 0 1 3 | 2 2 (1 3 | 2 2) 0 5 | 6 – | 6. 5 |

有 万顷 海疆（万顷 海 疆）。让 军 歌 和
着 故乡 期望（故乡 期 望）。让 军 歌 和

4 2 4 5 | 6 – | 2 5 6 | 7 6 7 | 5 – |

太 阳 一 同 升 起，
太 阳 一 同 升 起，

5. 5 6 | i – | 5. 4 | 3 5 4 3 | 2 – |

啊 祖 国 就 迎 送 着
啊 母 亲 就 迎 送

5 – | 5 – | 5 – | 4 3 2 3 |1. 1 – |

我 们 去 巡 航。

(5 –) :‖2. 1 – | 1 (5) | 5 – | 3. 1 |

航。 军 旗 啊

6 5 | (6 5) | 5 – | 3. 1 | 2 5 |

军 旗 （军 旗），海 风 中 飞 扬

(2 5) | 6 - | 6. 5 | 4 43 | 2 - |
（飞 扬）。战 舰 啊 战 舰，

5 5 | 43 2 | 3. 2 | 3 - | 5 - |
轻 轻 在 摇 荡。 风

3. 1 | 6 5 | (6 5) | 5 - | 3. 1 |
雨 啊 风 雨 (风 雨)，在 为 我

2 5 | (2 5) | 6 - | 6. 5 | 4 43 |
梳 妆 (梳 妆)。海 鸥 啊 海

2 - | 3 5 | 2 3 | 1 - | 1 - |
鸥， 在 伴 我 飞 翔。

66 67 | 1 21 | 3 - | 3 - | 22 23 |
我是 海的 女 儿， 我是 海的

4 32 | 5 - | 5 - | 66 65 | 4 46 |
女 儿， 我是 海的 女

2 - | 2 V66 | 6. 5 | 3 2 | 1 5 | i 0 ‖
儿， 我是 海 的 女 儿，女 儿！

65. 天蓝蓝，海蓝蓝

1＝C $\frac{4}{4}$

电视连续剧《潮起潮落》片尾曲

周振天 词
付 林 曲

欢快地

天 蓝 蓝，海蓝 蓝，拉起 锚，开起 船。

天 蓝 蓝，海蓝 蓝，把稳 舵，撑起 帆。

风大 浪 大 不呀 不说 难，礁多 滩 多 不呀不 说 险，
潮起 潮 落，年年 岁 岁，日升 月 沉，

咱 有 龙的 胆。 岁岁 年 年，还是

天 蓝蓝 喽，还是 海 蓝 蓝 喽。

天 蓝 蓝，海 蓝 蓝，

天 蓝 蓝，海 蓝 蓝。

66. 海韵

1=♭E 4/4
中速

庄奴 词
古月 曲

5 - - - | 6 6 - - | 0 66 1 6· |

女 郎， 我是多么

01 23 5 65 | 30 02 1 06 | 1· 2 3 - |

希 望 围绕 你 身 旁。

3 - - - | 6 6 - - | 0 66 1 6· |

女 郎， 和你去看

01 23 5 6·5 | 3 02 1· 6 | 61 2 1· |

大 海， 去看 那 风 浪。

1. 1 - - - :‖ 2. (6171 7171 3171 7171 | 6171 7171 6 3 | 1 - - - | 0 0 0 0 |

‖: 6171 7171 3171 7171 | 6171 7171 6 3 :‖ 6 - - -)‖

67. 在海一方

1=E 2/4

赞美、自豪地

乔 羽 词
郁洲萍 曲

(3. 23 | 1 76 5 3 | 6. 3 231 | 2 - |

3. 23 | 1 76 5 3 | 6. 3 2.376 | 5 - |

5356 1 02 | 1665 3 | 1.231 6553 | 2. 3 |

56 65 32 | 1 -) | 3 35 2. 356 | 1. 2 |

在天一方，
古调悠悠，

3 61 726 | 5 - | 561 7 | 6 56 1. 6 |

在海一方，在这片海天
新歌洋洋，在这片天地

4 43 231 | 2 - | 3 35 2.356 | 1. 2 |

相接的地方。在天一方，
祥和的地方。古调悠悠，

3 2 2765 | 6 - | 53 56 1 | 6 32 3 |

在海一方，这就是我们，
新歌洋洋，这就是我们，

6 56 532 | 1 - | 6 1 6 | 3 2 1 6 |

我们的连云港。哎哎哎哟，
我们的连云港。哎哎哎哟，

哎 哎哎 哟，美 丽的 海 湾，
哎 哎哎 哟，繁 荣的 海 湾，

可爱的 家 乡，西 连亚欧 大陆风 云，
文明的 家 乡，迎 来四方 嘉宾好 友，

东临 太 平 洋。美丽的海 湾，
共享 花 果 香。繁荣的海 湾，

可 爱的家 乡，西连亚欧 大 陆风 云，
文 明的家 乡，迎来四方 嘉 宾好 友，

东 临 太 平 洋。共 享
共 享 花 果 香。

花 果 香。

68. 浪花，海的颂歌

1=E $\frac{4}{4}$ $\frac{2}{4}$

中速　深情地

胡宏伟 词
铁　源 曲

(6 6　3 6 i 7 6 | 5 3 7. 6 6 – | 6 6　3 6 i 7 6 |

5 – – – | 6 6　3 2 2 6 | 3. 4 3 2 1 – |

7　7 6 5. 6 1 7 | 6　6 6 5 6 3 5) | 6 6 1 1 7 1 7 6 |

我是 浪花 一　朵，

3 3 2 3 2 6 – | 1 1 1 7 6 1 2·3 | 3 – – – |

浪花 一　朵，依偎在大海 的 心　窝。

欢笑在大海 的 心　窝。

5 5 3 4 3 2 | 2 2 1 3. 2 2 7 | 3 2 1 7 1 2 7 |

海 水　晶　莹，海潮　蓬　勃，你　给了 我 品　德，你

海 涛　深　情，海风　柔　和，你　给了 我 抚　爱，你

2 2 2 1 7 | 6 – – 0 | 6 6 3 6.i 7 6 |

给　了我　性　格。无论 我 奔　流 到

给　了我　寄　托。无论 我 跳　动 在

5 3 7. 6 6 – | 6 6 3 3 6 i 7 6 | 5 – – – |

哪　里，都闪　耀着海的 本　色。

哪　里，都紧　连着海的 脉　搏。

6 6 3 2 2 6 | 3. 4 3 2 1 - | 7 7 6 5.6 1 7 |

大海 是我 的 母 亲， 我 就是 海的颂

我是 大海 的 骄 傲， 大海 就 是我亲爱 的祖

6 - - 0 :| 6 6 3 2 2 6 | 3. 4 3 2 1 - |

歌。 我 是 大 海的 骄 傲，

国。

渐慢 回原速

7.7 7 7 6 5 5 6 i 7 | 6 - - - | 6 0 0 0 ‖

大 海就是我 亲爱的 祖 国。

69. 浪花啊，浪花

1=♭E 2/4

亲切、轻柔地

王晓岭 词
魏 群 曲

(5 |: 3 - | 3 5 6 5 | 3 - | 3 6 | 2 - |

2 7 6 5 | 2 - | 2 3 2 3 | 5. 6 | 5 6 7 | 1 - |

1) 5 | 3 - | 3 5 6 5 | 1 2 | 3 - | 3 5 3 |

1.2.浪 花， 奔 腾 的 浪 花， 你 像

6. 3 | 2 3 1 | 7 1 | 2 - | 2 1 2 | 3. 1 |

天 边 翻 卷 的 云 霞。 望 着 你

6 - | 6 1 2 | 3. 5 | 7 5 | 6 - | 6 7 6 |

心 潮 涌 起 波 涛， 你 可

2. 4 | 3 - | 3 2 3 | 5. 6 | 5 6 7 | 1 - |

知 道 我 有 多 少 知 心 话。

1 3 7 | 6 - | 6 5 6 | 3 - | 3 5 3 | 7. 6 |

啊！ 浪 花， 你 生 在
啊！ 浪 花， 我 爱 你

5 1 3 | 2 - | 2 3 7 | 6 - | 6 i 5 6 | 3 - |

大海 怀 抱。 啊， 浪 花，
胸怀 宽 广。 啊， 浪 花，

3 5 3 | 6. 5 | 3 5 1 | 2 - | 2 3 2 | 1. 3 |

你 开 在 海角 天 涯。 伴随 我 的
我 爱 你 志向 远 大。 多像 我 的

5 0 7 | 6 - | 6 1 2 | 3. 5 | 6 5 7 6 | 5 - |

心 上 人， 守卫 海 疆 把 根 扎。
心 上 人， 风波 浪 里 度 年 华。

5 3 5 | i. 6 | 5 i 6 5 | 3 - | 3 2 3 | 5. 6 |

伴随 我 的 心 上 人， 守卫 海 疆
多像 我 的 心 上 人， 风波 浪 里

1. 2. 渐慢

5 6 7 | 1 - | 1 (5 :| 1 - | 1 2 3 | 5. 6 |

把 根 扎。 华。 风波 浪 里
度 年

7 5. | 2 - | i - | i - | i ‖

度 年 华。

70. 海港之夜

1=♭B 4/4

缓慢 抒情地

[苏]丘尔金 词

[苏]索洛维约夫-谢多伊 曲

王毓麟 译配

1. 唱吧，朋友们，明天要起航。航行在那夜雾中，快乐地歌唱吧。亲爱的老船长，让我们一齐来歌唱。

2.（晚）风轻轻吹，月色泛银光。我们快乐纵情歌唱。为朋友歌唱，为工作歌唱，为幸福的生活歌唱。

3.（静）静的海港上，水波在荡漾。夜雾弥漫着海洋，浪花冲击着故乡的海岸，远远的手风琴声悠扬。

再见吧，可爱的城市，明天将航行在海上。明天黎明时，亲人的蓝头巾将在船尾飘

6 – – 6 | 4̇. 4̇ 5̇. 4̇5̇ | 4̇ 3̇ 3̇ – 0 3 |

扬。 再 见 吧，可 爱的 城 市， 明

6 – – 6 | 2̇. 2̇ 2̇. 2̇3̇ | 2̇ i̇ i̇ – 0 3 |

6 – – 6 | 2̇. i̇ 7. 5 5 | 7 i̇ i̇ – 0 3 |

2̇. 2̇ 3̇. 2̇3̇ | 2̇ i̇ – 0 6 | 4̇ 4̇.4̇ 3̇ 0 3 |

天 将航 行在 海 上。 明 天 去航行， 亲

7. 7 7. 7 i̇ | 7 6 – 0 6 | 2̇ 2̇.7 i̇ 0 3 |

7. 6 #5. 3 3 | #5 6 – 0 6 | 2̇ 2̇.#5 i̇ 0 3 |

2̇ 2̇.2̇ i̇. i̇ | 7 i̇.2̇ 3̇ 7. 3 | 1. 2. 6 – – 0 3 :‖

人的 蓝 头巾 将 在船 尾 飘 扬。 2.晚

3.静

7 7.#5 6. 6 | 6 6. 6 #5 5. 3 | 6 – – 0 3 :‖

7 #5. 3 6. 6 | 4 2. 1 7̣ 3. 3 | 6̣ – – 0 3 :‖

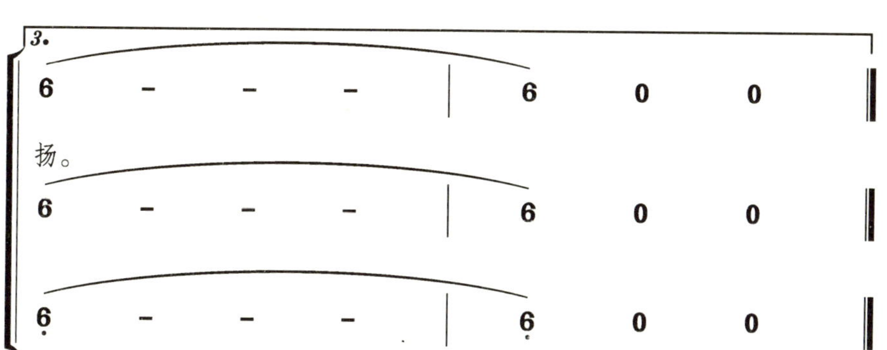

71. 鼓浪屿之波

1=F $\frac{4}{4}$

中速、稍慢

张藜　红曙 词
钟 立 民 曲

(3 4 |: 5 6 6 5 5 3 5 | 5 3 3 2 6 – | 5 7 1 2 3 |

1 – – –) | 5 6 6 5 5 3 3 2 | 1. 5 5 – |

1.鼓浪屿四周海茫茫，
2.母亲生我在台湾岛，
3.鼓浪屿海波在日夜唱，

6 6 5 2 3 4 3 | 2 – – – | 5 6 6 5 5 3 3 2 |

海水鼓起波浪。鼓浪屿遥对着
基隆港把我滋养。我紧紧依偎着
唱不尽骨肉情长。舀不干海峡的

1. 6 6 – | 5 7 1 2 3 | 1 – – 1 1 |

台湾岛，台湾是我家乡。登
老水手，听他讲海龙王。那
思乡水，思乡水鼓动波浪。思

6 6 7 1. 2 | 1. 5 5 – 5 1 | 4 4 6 1. 2 |

上日光岩眺望，只见云海
迷人的故事吸引我，他娓娓的话语
乡，思乡啊，思乡，骨肉，骨肉啊，

1. 5 5 – 5 6 | 6 5 5 3 3. 5 | 5 3 3 2 2 – |

苍苍。
刻心上。
骨肉。

我渴望，我渴望，

1.2.

3 4 3 2 6̣ - | 5̣ 7̣ 1 2 3 | 1 - - (3 4 :‖

快快见到你，　美丽　的基　隆　港。

3.

1 - - - | 1 0 0 ‖

港。

72. 外婆的澎湖湾

1＝A $\frac{4}{4}$

叶佳修 词曲

(5. 5 1. 5 | 6. 4 2. 6 | 7. 5 2 4 | 3. 1 5 - |: 5. 5 1. 5 | 6. 4 2. 6 | 7. 5 2 32 | 1 - - -) |

35 55 61. 65 |
晚风 轻拂 澎湖 湾，

11 66 5 - | 33 33 43 21. | 222223 2 - |
白浪 逐沙 滩， 没有 椰林 缀斜 阳， 只是一片海蓝 蓝。

33 333 43 21. | 61 16 5 - | 33 333 43 21. |
坐在 门前的矮墙 上 一遍 遍怀 想， 也是 黄昏的沙滩 上

5555 21 7 1 - | 35 55 61. 65 | 111 66 5 - |
有着脚印 两 对 半。 那是 外婆 拄着 杖 将我手轻轻 挽，

33 33 43 21 | 22223 2 - | 33 33343 21 |
踩着 薄暮 走向 余晖 暖暖的澎湖 湾。 一个 脚印是笑语 一串，

611 66 5 - | 33 33 43 21 | 55 217 1 - |
消磨许多时 光， 直到 夜色 吞没 我俩 回家 的 路 上。

7 71 2 5 | 15 12 3 2 | 4 4 3 21 71 |
澎 湖 湾， 澎 湖 湾， 外 婆 的 澎 湖

2. 3 2 - | 3. 3 4 4.4 | 3.2 1 7 6 - |

湾， 有 我 许 多 的 童 年 幻 想，

5 5 0 1 1 0 | 2 1 2 1 2 | 2/4 3 5 4 |

阳 光、 沙 滩、 海 浪、 仙 人 掌， 还 有

4/4 3. 1 7 1 2 | 1. 1 - - - :| 2. 1 - - - |

一 位 老 船 长。 长。

(4. 5 6 i | i 7 6 7 | i - - -) ‖

73. 海峡两岸架长虹

1=G $\frac{2}{4}$

中速　民歌风

汤璧辉　词
周开屏　曲

(0　0 56 |: 1 12 3.235 | 5235 6561 | 5 32 1231 |

2　2356 | 1 12 5 53 | 3 23 2 1 | 6.222 7656 |

5　6123) | *mf* 5 32 123 | 3 2. | 6 23 216 |

我住海峡西，你住海峡
我住海峡西，你住海峡

6 5. | 1 12 5 53 | 3 23 2 1 | 6.222 7605 |

东，隔海遥遥相呼唤，海风轻轻把情
东，隔海难隔骨肉情，欢聚怎能在梦

6 - | 1 12 5 53 | 3 23 2 1 | 6.222 7656 |

送。隔海遥遥相呼唤，海风轻轻把情
中。隔海难隔骨肉情，欢聚怎能在梦

5 - | 5. 2 | 6 561 | 1. 6 4 35 |

送。任凭云遮雾迷
中。望断海峡终有

2 #1 2. | 5 5 2 | 6 561 | 2. 6 5 64 |

蒙，你心我心总相
渡，喜见片片帆影

#4/5 – | 0 6 5 1 | 4 56 6 | 6 – |

通。 啊！ 大 海，
动。 啊！ 大 海，

6 6 5 1 | 4 56 2 | 3 23 2 0 | 6·2 22 76 0 5 |

悠悠岁月长流水，打湿多少相思
但愿风雨早散尽，海峡两岸架长

6 – | 5 – | 5 6 5 1 | 4 56 2 |

梦。哎！悠悠岁月
虹。哎！但愿风雨

3 23 5 | 6·2 22 76 56 | 5 – :‖ 2. 2 2 6 |

长流水，打湿多少相思梦。海峡两岸
早散尽，海峡两岸架长虹。

1 2 6 V | 56/5 – | 5 – ‖

架长虹。

74. 水之子

河海大学校歌

1=$^\flat$A $\frac{4}{4}$

行进速度

尉天骄 王如高 词

董 莆 友 曲

依石城，饮长江，弦歌清凉，报效国邦。河海人，水之子，奔腾浩瀚灵动飞扬。

依石城，饮长江，弦歌清凉，报效国邦。河海人，水之子，奔腾浩瀚灵动飞扬。

华夏水利千秋业，河清海晏

立志修身业精工，跻身世界

7 1 3 2 - | 6 6.5 4 2 | 5 5.4 3 - |

民安 康。育成万千栋梁才，

一流 强。大哉河海奋前程，

5 5. 7 - | 4 4.3 2 6 | 2 2.7 5 - |

1.

2. 2 3 4 | 5 - - - | 4.4 3 2 1 0 :‖

世纪桃李芳，世纪桃李芳。

♭7. ♮7 1 1 | 2 - - - | 2.2 7 5 1 0 :‖

2.

2. 2 3 4 | 5 - - - |

禹鼎更辉煌，

♭7. ♮7 1 1 | 2 - - - |

结束句

6 - - 6 | 5 - 4 - |

禹鼎更辉

4 - - 4 | 3 - 2 - |

2/4 4 - | 5 - - - | 5 - - - | 2/4 5 0 ‖

煌。

2/4 2 - | 1 - - - | 1 - - - | 2/4 1 0 ‖

75. 奔腾吧，河海

马维原 词
张春生 曲
小流 改编

1=F $\frac{2}{4}$

豪迈有力、朝气蓬勃地

(1 1. 1 | 1 1. | 7 7. 7 | 7 7. | 0 6 7 | 1. 7 6 |

2 2 3 | 2 5 | 1 – | 1 –) | 5. 5 | 3 1 |

（合）1.2.滚 滚 长 江

2 2 3 3 | 7 6 5 | 1. 1 1 7 | 6 6 1 1 | 3 6 5 |

是我 们的 血 脉， 巍 巍钟山 是我 们 的 风 采。

5 – | 5 0 | 6 6 6 | 5 4 3 | 2. 2 3 |

老一 辈 河海人 无私 奉
新一 代 河海人 自强 不

6 – | 5 5 5 4 | 3 2 | 3 – | 3 0 |

献， 呕心沥血 育 英 才。
息， 光荣传统 铭 胸 怀。

5. 5 | 3 1 | 2. 2 3 | 6 – | 1. 1 1 2 |

（男）艰 苦 朴 素 实 事求 是，
严 格 要 求 勇 于探 索，
（合）共 同奋斗

3 7 | 6 – | 6 0 | 1. 1 | 7 6 |

兴 河 海。 （女）雨 露 滋 润

5 6 5 | 2 - | 5 5 5 4 | 3 2 | 1 - | 1 0 :‖

百花开，建设祖国向未来。

女高 i i. i | i i. ∨ | 7 7. 7 | 7 7. ∨ |

女低 3 3. 3 | 3 3. ∨ | 2 2. 2 | 2 2. ∨ |

奔腾吧河海！奔腾吧河海！

男高 i/5 i. i/5. 5 | i/5 i. ∨/5. ∨ | 7 7. 7 | 7 7. ∨ |

男低 1 1. 1 | 1 1. ∨ | 5 5. 5 | 5 5. ∨ |

6 6. 7 | i 7 6 | 5.5 1 2 | 3 - ∨ | i i. i |

4 4. 5 | 6 5 4 | 3.3 1 2 | 3 - ∨ | 3 3. 3 |

河海的精神多么豪迈。奔腾吧，

6 6. 7 | i 7 6 | 5.5 1 2 | 3 - ∨ | i i. i |

4 4. 5 | 6 5 4 | 3.3 1 2 | 3 - ∨ | 1 1. 1 |

i i.ᐯ	7 7.7	7 7.	0 6 7	i 7 6
3 3.ᐯ	5 5.5	5 5.	0 3 3	3 3
河 海!	奔 腾	吧, 河 海!	奔 向	世 界,
i i.ᐯ	7 7.7	7 7.	0 6 7	i 7 6
1 1.ᐯ	5 5.5	5 5.	0 3 3	5 5

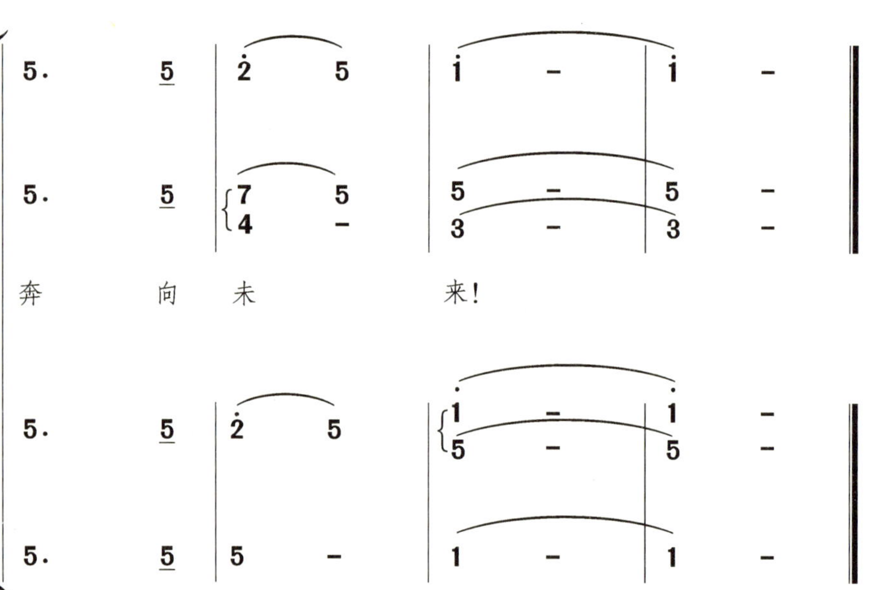

76. 大海一样的深情

1=F $\frac{4}{4}$

中速、稍慢 深情地

刘 麟 词
刘文金 曲

1.月光洒在银色的沙滩上，海啊，翻卷着层层波浪。海风拨动着琴弦哪，伴随着我把歌儿唱噢。啊！台

2.海鸥展开洁白的翅膀，飞吧，向着那东方飞翔。飞到宝岛台湾哪，飞到槟榔树上噢。啊！海

6 - - - | 6 5 #4 3 6 6 6 | 7 3 5 6 #5 6 7 6 |

湾，　富饶而美丽的宝岛啊，
鸥，　我愿和你一同飞翔啊，

0 5 #4 3 6 6 6 | 7 3 5 6 6 - | 6 5 #4 3. 4 |

我日夜把你来遥望。　啊！
去把台湾同胞探望。　啊！

3. #4 3 2 1 i | i 7 6 5 #4 | 3(6 5 #4 3. 4 3 2 |

1)1 7 6 2 3 3 | 5 6 5 3 5 5 3 | 0 1 2 3 5 |

我怀着大海一样的深情，把台湾
盼望着祖国统一的时候，我们同把

6. 7 7 - | 7 - - - | 7 - - V 6 |

同胞　常
团圆　的

5 6 0 2 3 1 7 2 3 | 6 - - - (1 7 6 :|| 结束句 3 -) | 0 1 7 6 2 3 3 |

挂在心上。　盼望着祖国
歌儿高唱。

5 6 5 3.5 5 3 | 0 1 2 3 5 | 6 7 7. 6 | 5 - - #4 | 渐慢

统一的时候，我们同把团圆的歌儿

3 - 5 6 | 6 - - - | 6 - - - | *p* 6 0 0 0 ||

高唱。

斑斓的色彩

77. 在水一方

1=C $\frac{4}{4}$

琼 瑶 词
林家庆 曲

中速稍慢

1. 绿 草 苍 苍， 白 雾 茫 茫， 有 位 佳 人， 在 水 一 方。
2.（绿） 草 萋 萋， 白 雾 迷 离， 有 位 佳 人， 靠 水 而 居。

3. 我 愿 逆 流 而 上， 依 偎 在 她 身 旁， 无 奈 前 有 险
4. 我 愿 逆 流 而 上， 与 她 轻 言 细 语， 无 奈 前 有 险

2 - - 23 | 4. 7i7 256 | 5 - - - |

滩， 道 路 又 远 又 长。

滩， 道 路 曲 折 无 已。

i. 7 67 i | 34 5 - - | 6 54 3 63 |

我 愿顺 流 而 下， 找 寻 她 的地

我 愿顺 流 而 下， 找 寻 她 的足

2 - - 3 4 | 5. 5 65 43 | 2 - - 23 |

方， 却 见 依 稀 仿 佛， 她

迹， 却 见 仿 佛 依 稀， 她

4 76 5 72 | 3. 1 - - (56 | 1 - - 56 |

在 水 的 中 央。

在 水 中 伫

3 - - 613 | 2 - 23 63 | 5 - - 5 |

6 - 67 65 | 3 - - 55 | 2 - - 67 |

1 - - -) :‖ 4. 1 - - 56 | 1 - - 56 |

立。 绿 草 苍

3 - - 613 | 2 - - 363 | 5 - - 5 |

苍， 白 雾 茫 茫， 有

5 6 – – 765 | 5 3 – – 55 | 2 – – 67 |
位 佳 人， 在 水 一

1 – – – | 1 0 0 ‖
方。

78. 逍 遥 游

1=F $\frac{2}{4}$

詹天高 词
徐 楠 曲

欢快、抒情地

(i. i 6 5 | 16532. 3 | 2 03 2 1 | 2 03 2 1 | 53 5 2116 |

1 03 216 | 5. 12123) | 5 02 3 6 | 5 35. | 53 21653 |

1.水 悠 悠， 船 悠
2.情 悠 悠， 歌 悠

21 2. | 5 0653 | 2 5 3 21 | 53 21656 | 1 2 1. |

悠， 逍 遥津上 荡 轻 舟，荡 轻 舟。
悠， 逍 遥津上 荡 轻 舟，荡 轻 舟。

2 2 5627 | 65 6. | 3 31 612 | 323. | 6 0i 6 5 |

弯弯石 拱 桥， 漾漾水 上 楼， 九 曲回廊
船头杨 柳 风， 船后春 水 绉， 湖 心亭畔

5 65 3 235 | 1 1 0 2 | 35235 | 53 21215 | 6 - |

丝 弦 奏， 悠扬 歌 声 唱 庐 州，
花 色 新， 挽住 船 儿 不 愿 走，

1 1 0 2 | 3523 5 | 52 5 1216 | 1 5. | 1 0165 |

悠 扬 歌 声 唱 庐 州。 来 来来来
挽 住 船 儿 不 愿 走。 来 来来来

323. | 5. 235 | 656. | i. i 6 5 | 16532 |

来来来 来 来来来 来来来， 双 双倩影 水 道 中，
来来来 来 来来来 来来来， 知 心人儿 知 心 话，

5 5 2 3 5 | 6 5 6. | 2 03 2 1 | 2 03 2 1 | 5 35 2116 |

船随 水漂 流。 水 也温柔，情 也温柔，难得 逍遥

一半 留心 头。 景 也风流，人 也风流，难忘 逍遥

1 - | 2 03 2 1 | 2 03 2 1 | 1. 0 5 3 5 | 2. 1 6 5 |

游。 水 也温柔，情 也温柔， 难 得 逍 遥

游。 景 也风流，人 也风流，

渐慢

1 03 216 | 5 - :‖ 2. 0 i 6 5 | 1612 5653 | 2 03 2 16 |

游。 难 忘 逍 遥 游。

1 56 1 02 | 5 32 216 | 5 - | 5 0 ‖

79. 雨打农家竹篱笆

1=C $\frac{2}{4}$

欢快地

王冠林 词
徐代泉 曲

1. 沙沙沙，沙沙沙，雨打农家竹篱笆呀，
2. 沙沙沙，沙沙沙，雨打农家竹篱笆呀，

沙沙沙，沙沙沙，雨打农家竹篱笆呀。
沙沙沙，沙沙沙，雨打农家竹篱笆呀。

溅起声声笑，逗乐鸡鹅
溅起声声笑，逗乐瓜果

3 - | 3 1 1 | 6 6 #5 6 | (6666 #5 6) | 0 6 1 |

鸭。母鸡咯咯咯，大鹅
花。瓜长胖娃娃，果结

6 5 3 | (6665 #2 3) | 0 6 3 | 2 2 2 | 5 5 3 |

嘎嘎嘎，白鸭呷呷呷，篱笆下
珍珠塔，花开五彩霞，篱笆下

2. 3 2 1 | 1 6 5 | 6 0 | 3 5 6 | 1 3 3 |

跳着小青蛙。小青蛙，小青蛙，
挂着金喇叭。金喇叭，金喇叭，

3 1 6 5 | 6 5 6 | *p* 1 1 1 1 | 6 6 6 5 | 3. 2 3 5 |

咕儿呱，咕儿呱！咕呱咕呱咕呱咕呱，笑声好像
嘀嘀嗒，嘀嘀嗒！嘀嗒嘀嗒嘀嗒嘀嗒，笑声陶醉

6 5 6 | 0 3 5 | 6 1 | 2 - | 2 - |

春雨洒，笑声好像
小康家，笑声陶醉

f 1 3 | 3 5 | 6 - | 6 - :||

春雨洒。
小康家。

(5 56 5 3 | 2 23 2 1 | 1 6 0 5 | 6 0) ||

80. 边疆的泉水清又纯

1=D $\frac{2}{4}$

凯传 词
王酩 曲

慢　抒情地

边疆的泉水清又纯，边疆的歌儿暖人心，暖人心。清清泉水流不尽，声声赞歌唱亲人，唱亲人边防军，军民鱼水情意深，

顶天的青松扎深根，人民的军队爱人民，爱人民。浩浩林海根相连，军民联防一条心，一条心保边疆，锦绣河山万年春，

情 意 深。 哎！
万 年 春。 哎！

唱 亲 人 边 防 军，
一 条 心 保 边 疆，

军 民 鱼 水 情 意 深， 情 意 深。
锦 绣 河 山 万 年 春， 万 年 春。

渐慢

哎！

81. 月牙泉

1=F $\frac{4}{4}$

杨海潮 词曲

1.就在天的那边很远很远，有美丽的月牙泉。她是天的镜子，沙漠的眼，星星沐浴的乐园。从那年我月牙泉边走过，从此以后魂绕梦牵。

2.每当太阳落向西边的山，天边映出月牙泉。每当驼铃声掠过耳边，仿佛又回月牙泉。我的心里藏着忧郁无限，月牙泉是否依然。

也许你们不懂得这种爱恋，除非也去那里看看。
如今每个地方都在改变，她是否也换了容颜。

看那 看那 月

6 – – 5 6 | 3 – 3 0 3̇ 5̇ | 3̇ – 3̇ 0 2̇ 6 |

牙 泉， 想 啊， 念

6 – 6 0 1̇ 2̇ | 6 – – 5 1̇ |[1. 2.] 6 – – – :‖

啊， 月 牙 泉。

结束句

1̇ 1̇ 1̇ 1̇ 7 6 1̇ | 1̇ 7 7 1̇ 6 6 0 | 7 7 7 7 7 5 6 |

就在天的那 边很 远 很远， 有美丽的月 牙

6 – – 0 | 1̇ 1̇ 1̇ 1̇ 7 6 1̇ | 1̇ 7 7 1̇ 6 6 0 |

泉。 她是天的镜 子，沙 漠 的眼，

2̇ 7 7 7 7. 5 5 6 | 6 – – 0 | 0 0 0 0 ‖

星星沐浴的乐 园。

82. 蝴蝶泉边

电影《五朵金花》插曲

1＝C $\frac{3}{4}$ $\frac{2}{4}$

♩＝60

季 康 词

雷振邦 曲

(女)哎 哎 大 理 三月 好 风 光

哎， 蝴蝶 泉 边 好 梳 妆， 蝴蝶 飞 来 采花 蜜哟，

阿 妹 梳 头 为 哪 桩？ 蝴蝶 飞 来 采 花 蜜， 阿 妹

转 1＝F（前 6 ＝后 3）

梳 头 为 哪 桩？ (男)哎

蝴 蝶 泉 水 清 又 清， 丢 个 石 头 试 水 深，

有 心 摘 花 怕 有 刺， 徘 徊 心 不 定 啊 咿

哟！

（女）哎

有心摘花莫怕刺哎，有心唱歌莫多问，有心撒网莫怕水哟，见面好相认。

转 1＝F（前 6 ＝后 3） ♩＝108

（男）阳雀飞过高山顶，留下一串响铃声，阿妹送我金荷包哟，哥是有情人啊咿哟！

♩＝72

（女）燕子衔泥为做窝，

6 3 2. 1 | 5 616 6 | 6 - | i 6 5 65 | 3. 5 |

有情无 情 口难 说， 相交要 学

i. 2 i 5 | 6. i 535 | 0 1 2 | 3 5 | 2. 1 6 6 |

长 流 水 哟， 朝 露 哥 莫 学 啊咿

♩=84

6 (1 2 | 3 32 3 5 | 6 -) | 3 3 6 6 i65 | 6 - |

哟！ （男）祖传 三代 是铁 匠，

3.2 3 5 i 6 | 5 - | 5 65 3 5 | i 6 653 | 3 5 1 3 |

炼得好钢 锈不 生， 哥心 似钢 最坚 韧， 妹莫 看错

2. 0 | 6 6 6 6 | i65 6 | 5 53 6 i | 5 65 3 |

人。 送把 钢刀 佩妹 身， 钢刀 便是 好见 证，

3 32 3 5 i 5 | 6. i | 3 32 5 7 | 6 - - |

苍山 雪化 洱海 干， 难折 好钢 刃。 （女）

转1=C（前6=后2）♩=60

2 23 i 2 6 | i6i2 6 - | 0 3 5 3 | i 2i 6 | 5 3 i 6 |

橄榄 好吃 回味 甜， 打开 青 苔 喝 山

5 - | 6 i3 23i | 0 6 i 6 | 3 - | 5 535 6 |

泉， 山盟 海誓 先莫 讲， 相会

♩=72

1 2 1 | 6 - - | 3216 2 16 | 123 ³2 | 6 21 2 3 |

待 明 年。 明 年 花开 蝴 蝶 飞， 阿哥 有心

1 21 ¹6 | 3 32 3 5 | 6 16 653 | 2 2 1 16 | ¹2 - |

再来 会， 苍 山 脚下 找金 花， 金花 是阿 妹。

3 32 1 2 | 6 32 ²¹6 - | ¹⁶1 2 ⁵3. | 1 6 1 ³21 | ¹6.（1235 |

苍山 脚下 找金 花， 金 花 是 阿 妹。

6. 5 6 1 | 2. 3 | 1 6 1 ³21 | ¹6 - - ）‖

83. 延水谣

1=G $\frac{2}{4}$

稍慢 优美地

熊　复 词
郑律成 曲

2 5 5 | 5 - | 6 5 4 2 | 2 - | 2 5 4 2 |

延水浊，延水清，情郎哥哥
延水清，延水浊，小妹子来送

1 2 1 6 | 5 - | 5 0 | 1 1 1 | 2 5 2 5 |

去当兵。当兵啊要当抗日
情郎哥。哥哥你前方去打

2 0 | 1 1 2 1 | 7 2 5 | 5 0 | 5 5 4 5 |

兵，不是好铁不打钉。拿起锄头
仗，要和鬼子拼死活。奴家织布

6 4 2 0 | 5 5 4 5 | 6 4 2 | 2 2 1 3 | 2 - |

好种田，拿起枪杆上火线，救国有名声。
又开荒，冬有棉衣夏有粮，莫为奴难过。

2 0 :‖ 2 5 5 | 5 - | 6 5 4 2 | 2 - |

延水浊，延水清，

2 5 4 2 | 1 2 1 6 | 5 - | 5 0 ‖

情郎哥哥去当兵。

84.花 溪 水

电影《柳暗花明》插曲

1=♭E $\frac{4}{4}$

中速 抒情地

时乐濛 陆祖龙 词曲

(1. 2 615 6. 1 563 | 1. 2 3565 5. 3 |

2. 6 5323 1. 6 5 6) |: 5 53 25 3. 21 |

1.2.清 清的花溪 水，

1 23 21 165 5 - | 556 1. 2 21 65 53 |

绕村 向 东 流。 穿过了多 少险 石 滩，
群山 叠 翠浪 花 飞，

2. 5 53 21 2 - | 3. 21 12 323 0 35 |

洗 掉多少 愁。 阳 光明灿 灿 呀，
日 夜不停 留。 浇 开幸福 花 呀，

3. 6 65 32 5 5 616 | 5. 6 1. 61 2. 3 |

红 花满 枝 头 呃， 哎！
人 人暖 心 头 呃， 哎！

3. 2 1221 6. 5 | $\frac{2}{4}$ 6 - |

$\frac{4}{4}$ 1. 2 6165 6. 1 5653 | 1. 2 3565 5. 3 |

清 波荡 漾春 风吹 来，山 川多 清 秀，
待 到宏 图化 捷报 时，大 地似 锦 绣，

2. 6 5 3 2 3 1 - :‖ i - i 6 i 2. 3 |

多 清 秀。 哎！

似 锦 绣。

3 - - 3 2 | i 2 2 i 6. 5 6 - |

i. 2 6 i 6 5 6. i 5 6 5 3 | 1. 2 3 5 6 5 5. 3 |

待 到宏 图化 捷报 时，大 地似 锦 绣，

渐慢

2. 6 5 3 2 3 1 - | 2. 6 5 3 2 i - ‖

似 锦 绣， 似 锦 绣。

85. 二泉吟

1=♭E $\frac{4}{4}$

稍慢 深情、真挚地

张明河 词
孟庆云 曲

(3 5 |: 6. 6 65 3 | 5 - - 35 | 6. 6 65 3 |

2 - - - | 0 2 2 3 5 35 2 1 | 7 2 6 6 3 5 |

6. 3 2 7 6 | 1 - - 0) | 3. 5 6 56 1 6 |

风 悠
梦 悠

5 - - - | 1. 6 1. 2 3 | 2 - - - |

悠，云 悠 悠，
悠，魂 悠 悠，

0 2 2 3 5 35 2 1 | 7 2 7 6 3 5 | 6 6 3 2 72 7 6 |

凄苦的岁月在琴弦上流啊，琴弦上流。
失明的双眼把暗夜看透啊，暗夜看透。

5 - - - | 3. 5 6 56 1 6 | 5 - - - |

恨 悠 悠，
情 悠 悠，

1. 6 1. 2 3 | 2 - - - | 0 2 2 3 5 35 2 1 |

怨 悠 悠，满怀的不平在
爱 悠 悠，无语的泪花把

7 2 7 6 3 5 | 6 6 3 2 7 2 7 2 7 6 | 5 - - 3 5 |

小路 上走，啊，小路 上走。 啊，

光明 寻求，啊，光明 寻求。 啊，

6 1· 1 7 2 7 | 7 6· 6 3 5 | 6· 6 6 6 6 5 3 |

无锡的 雨， 是你 肩头一缕难解 的

太湖的 水， 是你 人生一杯壮行 的

5 - - 3 5 5 | 6 6 6 6 5 3 | 2 - - - |

愁。 满怀的 不平 在小路 上 走。

酒。 无语的 泪花 把光明 寻 求。

0 2 2 3 5 3 5 2 1 | 7 2 6 6 3 5 | 6· 6 6 3 2 7 2 7 6 |

惠山的泉 是 你 是你 手中一曲愤和

二泉的月 是 你 是你 命中一曲不沉 的

1. 1 - - （3 5 :‖ 2. 1 - - - ‖: 3· 5 6 5 6 1 6 |

忧。 舟。 风 悠

5 - - - | 3· 5 6 5 6 1 6 | 5 - - - :‖

悠， 云 悠 悠。

86. 岩口滴水

1=♭B $\frac{2}{4}$

行板

任萍 田川 词
罗 宗 贤曲

岩口滴水打石崖，点点滴滴落下来。

滴水穿石力量大，打得磐石如花开。

1. 2.（反复时结尾用）

如花开！ Fine.

热情地

阿哥你南山去修路呀嗨！

一镐一镐把山开呀嗨。镐头磨成锤头样，路像金龙

绕　山　崖。　路像金　龙　　绕　山

崖，　驶　着　幸　福　游　过　来。

穷山变　成　　花　果　山，　摘朵鲜花

mf

给阿　哥　戴，　摘朵鲜花　给阿　哥　戴。 D.C.

87.梦里水乡

1=D $\frac{4}{4}$

洛 兵 词
周 迪 曲

(5 6 | 5. 6 5 3523 | 5 - - 5 6 | 2. 2 665 1232 |

2 - - 5 6 | 5. 6 5 3523 | 5 - - 6 32 |

1. 32 2 6561 | 1 - - 0) |: 0. 5 1 2 3 5 5 3 2 1 2 3 |

春天的黄昏，请你陪我到
暖暖的午后，闪过一片片

1 1 1 6 6 5 5 - | 0. 5 1 2 3 5 5 3 2 1 2 3 2 |

梦中的水乡， 让挥动的手 在薄雾中飘
粉红的衣裳， 谁也载不走 那扇古老的

2 - - - | 0 3 5 5 3 6 5 1 1 6 5 |

荡。 不要惊醒 杨柳岸 那些
窗。 玲珑少年 在岸上 守候

1 1 1 2 5 3 3 0 3 1 |1. 2 2 2 2 2. 6 1 1 2 1 6 |

缠绵的往事， 化作 一缕轻烟 已消失在远
一生的时光， 为何

5 - - 0 :|2. 2 2 3 2 2. 6 1 1 2 2 3 |

方。 没能做个 你盼望的 新

5 - - 5 6 | 5 5 3 2 1 2 3 5 2 3 |

娘。 淡淡 相思都写在脸 上， 沉沉

5 53 5 65 5 3 5 | 6 656 6· 65 31 1 65 |

离别背在肩上。 泪水 流过脸庞，所有的话 现在

1 1 1 23 3 5 6 | 5 53 21 23 5 2 3 |

还是 没有讲。 看那 青山荡漾在水 上，看那

5 53 5 65 5 3 5 | 6 65 6· i 5 32 123 |

晚霞吻着夕阳。 我用 一生的爱 去寻找那一个家，

2 65 1 53 3 561 | 2 21 2 32 2 5 3 |

今夜你在何方？ 转回头 迎着你的笑颜， 心事

2 21 23 2 6 3 | 2 23 216 5 55 561 | 1 – – ‖

全都被你发现， 梦里 遥远的幸福，它就在我的身 旁。

88. 世纪春雨

1= A $\frac{4}{4}$

活泼、优美地

韩静霆 词

印 青 曲

啦 啦啦 啦 啦啦 啦 啦 啦 啦啦 啦 啦啦 啦 啦啦

啦 啦 啦 啦 啦啦 啦 啦啦 啦 啦 啦 啦啦

啦 啦啦 啦 啦啦 啦啦 啦啦 啦 啦

沙啦 啦 啦 沙啦 啦啦 沙啦 啦啦 啦 清 爽 的

风 送 来 了

世 纪的 春 雨，

大 地 一 片 新 绿，

大 地 一 片 生 机，

2 - - - | 0 1 6 1 | 3 - - - |

一 片 新 绿。
一 片 生 机。

(0 #5 67 17 12 | 3 0)
3 - 0 0 | 0 61 6 5 | 6 66 6 3 |

带 着 美 好的 感

3 - - - | 3 - - - | 0 3 3 5 |

觉， 我 们 去

6 3 - - | 3 - - - | 0 2 2 5 |

踏 雨， 走 进 那

5 35 3. 1 | 3 3 2 - | 2 - - - |

绿 莹 莹 的 新 世 纪，

0 3 2 3 | 1 5 - 1 | 6 - - - |

新 世 纪。

6 - (67 12 | 3 32 3 32 | 3 6 3 31 |

（伴）啦 啦啦 啦 啦啦 啦 啦 啦 啦啦

60 31 60 31 | 77 71 6 0) | 6/7 7 - - |

啦 啦啦 啦 啦啦 啦啦 啦啦 啦 雨 啊，
雨 啊，

渗透江南塞北五色土。
荡涤大地百年的尘烟。

雨啊，梳妆着都市村庄更加
雨啊，祝福着千年希望之树

靓丽，温馨着风尘仆仆的
长绿，呼唤着蓝蓝海峡的

心灵，传递崭新的

世纪团聚，眺望未来

人生创意。
收获奇迹。

啦 啦 啦 啦 啦 啦 啦

啦 啦 啦 啦 啦 啦 啦

2̇ 3̇ 7̇ 6̇ | 5̇ - - - | ⁵̇6̇ - 6̇ 3̇ |

啦 啦 啦 啦 啦 啦 啦 啦

3̇ - - - | ⁵̇6̇ - 6 2̇ | 2̇ - - - |

啦 啦 啦 啦 啦

i̇ 2̇ 3̇ 5̇ | 5̇ 3̇ 5̇ 6̇ | 6̇ - - - |

啦 啦 啦 啦 啦 啦 啦 啦

6̇ - - - :‖ 结束句 稍慢 0 3̇ 5̇ 6̇ | 7̇ - - 6̇ |

D.S. 啦 啦 啦 啦 啦

6̇ - - - | 6̇ - 6̇0 0 ‖

啦 啦

89. 江河万古流

1=D $\frac{4}{4}$

中速

苏叔阳 词
王立平 曲

长江流，黄河流，
滔滔岁月无尽头。
天下兴亡多少事，
莽莽我神州。
情悠悠，思悠悠，
炎黄子孙志未酬。
中华自有雄魂在，
江河万古流。情悠
流，江河万古流。

90. 泉水叮咚响

1=D $\frac{2}{4}$

稍慢

马金星 词
吕 远 曲

1.2.泉水 叮咚，

泉水 叮咚，泉水 叮 咚 响， 跳下了山岗，走过了草地，

来到 我身 旁。 泉水啊泉水 你到 哪里 你到 哪里

去？ 唱着 歌儿 弹着 琴弦 流向 远 方。

请你 带 上 我的 一颗 心， 绕过
请你 告 诉 我的 心上 人， 不要

3.2 1. 3 | 2 2 1 656 | 5 – | 0 1 1 6 | 5. 1 6 5 |

高 山 一起 到 海 洋。 泉 水啊 泉 水
想 我 也 不要 想 家 乡。 只 要他 听 到这

3 3 5 2 1 | 5 3 2 | 1. 2 3 5 | 6 6 1 6 5 3 | 3 5 3 2 1 2 |

你应该记得 他, 在 你身旁 是我 送他 参军 去 海
泉水 叮咚 响, 这 就是我 愿他 日夜 紧握 手 中

1 (5 67 1 2 :|| 3 3 2 1 3 | 2321 6 5 | 3535 6532 | 1 5 1 5) |

疆。
枪。

|: 3 35 6 5 | 3 35 6 5 | 3 35 1 2 | 5 – | 3 35 6 5 |

泉水 叮咚, 泉水 叮咚, 泉水 叮咚 响, 泉 水 叮咚,

渐慢渐弱

3 35 6 5 | 5 1 3 2 | 1 – :|| 5 1 3 2 | 1 – |

泉水 叮咚, 流向 远 方, 流向 远 方,

(3 35 6 5 | 3 35 6 5 | 3 35 6 5 | 1)
5 1 3 2 | 1 – | 1 – | 1 – | 1 0 ||

流向 远 方。

91. 我家门前清溪流

1=♭E 4/4

♩=38 节奏稍自由 山歌风

王 健 词
章绍同 曲

♩=76

我家门前哟一道溪流，清澈得看见水里的小石头。五色杜鹃，倒影如画，迤逦青山与我结伴走。
我家门前哟一道溪流，日夜听着你优美的歌喉。淙淙潺潺，轻轻悠悠，绿色音符萦绕在我心头。

杨家溪，清溪流，清溪流，清溪流，

像微风中波动的一匹绿绸。我想把你看个够，啊，总也
像妈妈的摇篮曲天长地久。我想把你听个够，啊，总也

1.
1. 6 6 (2 3 | 6 – – 7 65 | 3 – – 2 3 |
看 不 够。

2 – – 3 21 | 6 – – –): | 2. 1. 6 3 – |
听 不 够。

3 6 1 6 1 – | 6 2 2 – 2 1 6 | 6 – – – |
我家门前哟 一道 溪 流，

6 1 1 6 653 | 2 35 1 6 2 – | 2 35 1 6 6 V 2 3 |
是谁 在岁月里 把你 酿 就， 把你 酿 就？杨家

6 – – 7 6 5 | 3 – – 2 3 | 2 – – V 2 |
溪， 清溪 流， 清溪 流， 清

3 – – 3 21 | 6 – – – | 6 1 1 3 2 2 6 |
溪 流。 一池 甜甜 醇醇

1 2 5 6 3 – | 6 1 1 3 2 2 1 2 | 6 3. 2. 3 5 |
绿 色的 酒， 我想 把你 喝个 够， 啊， 总 也

1. 6 6 0 | 6 1 1 3 2 2 1 2 | 3. 6 2 – |
喝 不 够。 我想 把你 喝个 够， 啊，

渐慢
2 – 3. 2 | 1 – 6 – | 6 – – – ‖
总 也 喝 不 够。

92. 十八弯水路到我家

1=♭B $\frac{2}{4}$

中速　喜悦地

梁国华 词
徐沛东 曲

1. 哥你把船儿向西划，十八弯的水路到我的家哟！
2. 哥你用船接我出嫁，十八弯的水路到你的家哟！

哥你在船头唱渔歌呀！把那小船藏在那石桥下呀。
花船上坐着你心上人噢！从今往后陪伴你度春夏呀。

听你的歌我跳窗外，咱到那桥洞里去说话。
朝迎荷花一船香，晚看明月天上挂。

听你的歌我 跳窗外，咱到那桥 洞 里
朝迎 荷花 一船香，晚看 明 月

去说话。 哟哟喂，哟哟喂，你别惹我的黄狗叫，
天上挂。 哟哟喂，哟哟喂，一辈子跟定你打鱼的哥，

哟哟喂，哟哟喂，更别碰上我的妈，我的那个
哟哟喂，哟哟喂，火里水里咱不怕，咱不

妈，我的妈 呀！
怕，咱不怕 呀！

D.S.

93. 三十里名山二十里水

（山 曲）

1=♭B $\frac{2}{4}$

山西河曲
汉 族

自由地

2 2 6 | 6 – | 5 6 5 4 3 2 | i 6 2 5 i | 6 – |

1.不 大大 小青 马马 踢拉 拉拉 走，
2.三 十里 名山（那 个） 二十 里 水，

2 2 6 | 6 – | 5 6 5 4 3 2 | i 6 i 6 | 2 – ‖

真魂 魄 跟在 哥哥 马 后 头。
五十 里 路 途来 眊 妹 妹。

94. 前门情思——大碗茶

1=♭B $\frac{4}{4}$

♩=70

阎　肃 词
姚　明 曲

(1. 11 2 1565 1. 112 1565 | 1. 112 1565 1. 112 1565 |

1 5 6 1 1 2 1 | 3 - - - |

‖: 5. 6 5 3. 2 1 2 1 5 | 6 - - 0 1 2 1 |

3 - 3. 5 6 | 3. 2 1 3 2 1 6 5 3. 2 1 3 2 1 6 5 |

1 1 0 3 2 1 2 3 5 5 5 6 5 | 1. 235 2165 1. 3 2 1 6 5 1) |

0 5 1 6 5 5. 1 6 5 5 3 | 0 1 2 3 2 3 5 5 2 1 7 1 |

1.我 爷 爷 小 的时 候， 常 在这 里 玩 耍。
2.如 今 我 海 外归 来， 又见红 墙 绿 瓦。

(0 5 3 6532 1. 2 35 2165 | 1) 1 6. 5 1 1 1 |

高 高 的前 门，
高 高 的前 门，

0 3 5 1 6 5 0 2 3 5 5 | (5. 672 6532 5. 5 5 6 3 25) |

仿佛挨着 我 的家。
几回梦里 想 着它。

3 3 0321 7 12 0 5 1 | 6 5 3. (2 3. 561 5234 |

一 蓬 衰 草， 几声 蛐 蛐儿叫，
岁 月 风 雨， 无情 任 吹 打，

伴随他度过了那灰色的年华。
却见它更显得那英姿挺拔。

吃一串儿冰糖葫芦，
叫一声杏仁儿豆腐，

就算过节，他一日那三餐，窝头咸菜么就着一口大碗儿茶。
京味儿真美，我带着那童心，带着思念么再来一口大碗儿茶。

啦 啦啦啦 啦 啦 啦 啦啦 啦啦

啦 啦啦 啦 啦 啦 啦 啦 啦 啦啦

世上的饮料有千百种，也许它最廉价。

可谁知道 谁知道 谁知道它醇厚的香
可为什么 为什么 为什么它醇厚的香

1̇ 3. 3 - | 6 6 5 1̇ 3 3 5 6 5.(6 7 2̇ |

味 儿， 饱含着泪 花。

味 儿， 直传到天 涯，

6 5 3 2 5.) 5 2̇ 2̇ 0 5 | [1.] 3̇ - 2̇ 1̇ 6 5 5 1̇ 2̇ |

它饱 含 着 泪 花。

它直 传 到

1̇ - - - :‖ [2.] 3̇ 5̇ 3̇ 2̇ 1̇ 6 5 5 1̇ 2̇ |

天 涯。

1̇ - - - | 1̇ 0 0 0 0 ‖

95. 在那水天相连的地方

1=F 2/4

中速　深情地

夏英模　词
刘诗召　曲

在那水天相连的地方，有一个哨所漂在那海上。浪花簇拥着银色的礁盘，礁盘上屹立士兵和钢枪。好战友，好战友，

在那水天相连的地方，有一个哨所漂在那海上。一群青春年少的士兵，礁盘上建起阳光天堂。好战友，好战友，

好战友，好战友，
好战友，好战友，

你独自天涯伴明月，你默默无语迎曙光。是你守卫着美丽的南沙，我怎能不为你真诚把歌唱！
你含辛茹苦也坚强，你无怨无悔多高尚。南沙是祖国胸前的项链，你就是蓝宝石闪闪放光芒。

哎啰哎，哎啰哎，
哎啰哎，哎啰哎，你就是蓝宝石闪闪

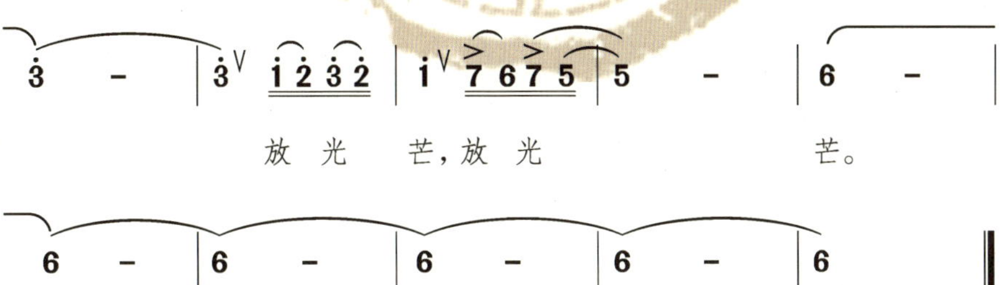
放 光 芒，放 光 芒。

96. 伏尔加河船夫曲

1=D $\frac{4}{4}$
稍慢

俄罗斯民歌
佚 名 译配

极弱 ……………………………… 很弱

53 6 3 0 | 53 6 3 0 | 5 i 7.i76 | 53 6 3 0 |

哎 哟 嗬， 哎 哟 嗬， 齐 心 合 力 把 纤 拉！

53 6 3 0 | 53 6 3 0 | 5 i 7.i76 | 53 6 3 0 |

哎 哟 嗬， 哎 哟 嗬， 拉 完 一 把 又 一 把！

弱

5.5 54 32 | 1 5 3 0 | 5.5 54 32 | 1 5 3 0 |

穿 过 茂 密的 白 桦 林， 踏 开 世 界的 不 平 路！

中强

6 66 3 3 | i 76 5 3 | 6 i 7.i76 | 53 6 3 - |

哎 嗒嗒 哎 嗒， 哎 嗒嗒 哎 嗒， 穿 过 茂 密的 白 桦 林，

强

3 - - - | 3 - - - | 3 3 2 i | 75 6 3 - |

踏 开 世 界的 不 平 路！

53 6 3 0 | 53 6 3 0 | 5 3 2.32i | 75 6 3 - |

哎 哟 嗬， 哎 哟 嗬， 齐 心 合 力 把 纤 拉。

5. 5 54 32 | 1 5 3 0 | 5.5 54 32 | 1 5 3 - |

我 们 沿 着 伏尔加 河， 对 着 太 阳 唱 起 歌。

6 66 3 3 | i 76 5 3 | 6 i 7.i76 | 53 6 3 - |

哎 嗒嗒 哎 嗒， 哎 嗒嗒 哎 嗒， 对 着 太 阳 唱 起 歌。

很强

3 - 3. 3 | 3.3 33 3 - | 3 3 2 1 | 75 6 3 - |

哎， 哎， 努 力把纤绳 拉， 对 着 太 阳 唱 起 歌。

强

53 6 3 0 | 53 6 3 0 | 5 3 2.32 1 | 75 6 3 - |

哎 哟 嗬， 哎 哟 嗬， 齐 心 合 力 把 纤 拉！

5. 5 54 32 | 1 5 3 0 | 5. 5 54 32 | 1 5 3 0 |

伏尔加,可 爱的 母 亲 河， 河 水 滔 滔 深 又 阔，

6 66 3 3 | 1 76 5 3 | 6 1 7.17 6 | 53 6 3 - |

哎 嗒嗒 哎 嗒， 哎 嗒嗒 哎 嗒， 河 水 滔 滔 深 又 阔。

中强

3 - - - | 3 - - - | 3 3 2.32 1 | 75 6 3 0 |

伏尔加，伏尔 加，母 亲 河。

弱

53 6 3 0 | 53 6 3 0 | 5 1 7.17 6 | 53 6 3 0 |

哎 哟 嗬， 哎 哟 嗬， 齐 心 合 力 把 纤 拉！

很弱

53 6 3 0 | 53 6 3 0 | 5 1 7.17 6 | 53 6 3 0 |

哎 哟 嗬， 哎 哟 嗬， 拉 完 一 把 又 一 把！

极弱 渐慢

53 6 3 0 | 53 6 3 0 | 5 3 6 3 - | 3 - - - ‖

哎 哟 嗬， 哎 哟 嗬， 哎 哟 嗬！

97. 老 人 河

1=♭E $\frac{2}{2}$

中速

[美国] 克尔恩 曲

邓映易 译配

5 4 3 3 5 4 | 3 5 6 i | 5 4 3 3 5 4 | 3 1 2 - |

黑人劳动在密西 西 比 河 上，黑人劳动，白 人 来 享 乐。

变慢

3 2 1 1 3 2 | 1 1 2 4 | 3 2 1 1 3 2 | 1 2 1 - |

黑人工 作到死 不 得 休 息，从早推 船直到 太 阳 落。

7 5 6. i | 7 5 6. i | 7 5 6. i | 7 5 6 - |

白 人 工 头 多 凶 恶，切 莫 乱 动 招 灾 祸。

渐慢

5 3 #4. 6 | 5 3 #4. 6 | 5 3 #4. 6 | 5 3 4 - |

弯 下 腰， 低 下 头，我 拉 起 纤 绳 把 船 拖。

弱 原速

5 4 3 3 5 4 | 3 5 6 i | 5 4 3 3 5 4 | 3 4 2 - |

让我快 快离开 白 人 工 头，快快离 开密西 西 比 河。

4 3 2 2 4 3 | 2 2 3 5 | 4 3 2 2 4 3 | 2 3 1 - |

请你告 诉我 那 个 地 方，我要渡过古老的 约 旦 河。

1 0 0 0 |: 5 5 6 1 6 | 5 5 6 1 2 | 3 3 2 1 2 |

老 人 河 啊，老 人 河！ 你 知 道 一切，但

3 5 6 5 6 | 5 5 3 2 3 | 5 5 3 2 3 | 1 - - - |

总 是 沉默，你 滚 滚 奔流，你 总 是 不 停地流 过。

1 - 1 0 5 | 5 5 6 1 6 | 5 5 6 1 2 | 3 5 6 5 6 |

他 不 种 番薯，也 不 种 棉花，那 耕 种 的人 早

i i 7 6 7 | 5 5 3 2 3 | 5 5 3 2 3 | 1 - - - |

被 人 遗忘，但 老 人 河呀，却 总 是不 停地 流 过。

中强 转快

1 0 0 0 | 7 5 6. i | 7 5 6 - | 7·7 5 6·6 i |

我 们 流 血 又 流 汗， 浑 身 酸 痛

弱 渐慢

7 5 6 - | 5 3 #4. 6 | 5 3 #4 - | 5·5 3·3 #4 6·6 |

受 折 磨。 为 了 免 得 坐 监 牢， 还 要 拉船

5 3 2 - | 5 5 6 1 6 | 5 5 6 1 2 | 3 5 6 5 6 |

扛 包 裹。 我 不 哭泣， 信 念 坚 定，我 永 不 停止 那

强

i i 2 i 2 | 3 3 2 i 2 | 3 3 2 i 2 |

斗 争的 生活。 老 人 河 呀， 你 总 是 不 停地 流

1. i 0 0 0 :‖ 2. i - - - | i 0 0 0 ‖

过。 过。

98. 梭罗河

1=C $\frac{4}{4}$
中速 抒情地

印度尼西亚民歌
陈 琪译词
何少平 林维配歌

0 5 5 6. 3 | 5 - - - | 0 1̇ 2̇ 3̇ 2̇. 1̇ | 3̇ - - - |

1.美丽的梭罗河，我为你歌唱！
2.你的历史就是一只船，

⊕

0 5 3 5. 3̇ | 2̇. 7 5. 6 | 7 3̇ 5 4. 5 | 3 - - - |

你的光荣历史，我永远记在心上。
商人们乘船远航，在

0 5 5 6. 3 | 5 - - - | 0 1̇ 2̇ 3̇ 2̇. 1̇ |

旱季来临，你轻轻流

3̇ - - - | 0 5 3 5. 3̇ | 2̇. 7 5. 6 |

淌；雨季时波涛滚滚，你

(4. 2̇)
7 3̇ 5 4. 3 | 1̇ - - - | 0 1̇ 1̇ 1̇ 1̇ 1̇ 2̇ 6 |

流向远方。你的源泉是来自

1̇ - 6 - | 0 1̇ 7 1̇ 2̇ 1̇ 7 6 | 6 - 5 - |

梭罗，万重山送你一路前往，

(#2̇)

0 2̇ 2̇ 2̇ 2̇ 2̇ 3̇ i̇ | 2̇ - 6 - | 0 6 7 i̇ 3̇. i̇ |

滚 滚的 波涛 流向 远 方， 一直流入 海

𝄌 结束句

2̇ - - - :‖ 7 3̇ 5 4. 3̇ | i̇ - - - ‖

洋。 美丽 的河 面 上。

99. 尼罗河畔的歌声

1=♭A $\frac{2}{4}$

优美、欢乐地

埃及民歌
朱宝勇 改编

(0 45 6543 | 5432 432 | 0 12 3 3 | 2321 1 |: 1)3 3 2 1 |

1.太阳刚刚
2.月亮挂在

2 1 2 1 5 | 0 1 1 2 3 | 2 1 3 2 | 1 1 2 3 3 3 | 2 2 1 1 5 |

爬上 山冈，尼罗河水 闪金 光。家乡 美丽的 土地 上，
碧蓝的天空，尼罗河水 在荡 漾。晚风 吹拂的 椰树 下，

5 5 5 3 3 | 2321 1(234 | 5 5 3 3 | 2321 1 | 1)3 4 5 34 |

劳动的人们 在歌 唱。 忘掉你的
劳动的人们 在歌 唱。 吹起你那

5 3 4 5 1 | 06 6 6554 | 454 34 5 | 5 456543 | 5432 432 |

忧愁和 悲 伤，唱出美 好的希 望。用劳 动的汗 水和歌 声
动人的 阿拉戈，再把铃 鼓 摇 响。让一 天的劳 动和辛 苦

0 1 2 3 3 3 | 2 3 2 1 1 | 1 3 4534 | 5 34 5 1 | 0 6 6554 |

迎接丰收的 好 时光。 啊！ 啊！
随着歌声 遗 忘。 啊！ 啊！

4334 5 | 545 654 3 | 5432 432 | 1. 0 1 2 3 3 3 | 2 3 2 1 1 |

用劳 动的汗 水和歌 声，迎接丰收的 好 时光。
让一 天的劳 动和辛 苦，

(0 45 6543 | 5432 432 | 0 12 3 3 | 2321 1 :‖ 2. 0 1 2 3 33 |

随着歌声

中强 弱

2 321 1 | 1 V 5 5443 | 3221 1 | 1 V 5 5443 | 3221 1 |

遗 忘。 啊! 啊!

很弱

1 – | 1 – | 1 – | 1 – ‖

100. 冥河的水神

——阿尔切斯特的咏叹调

歌剧《阿尔切斯特》选曲

[法国]卡尔 · 查比吉 词
[德国]格 鲁 克 曲
赵庆闰 李维勃 译

1=♭B $\frac{4}{4}$
行板

冥河里的水神，冥河里的水神，
Di- vi- ni- té s du Styx, di- vi- ni - te's du Styx,

Adagio

死亡的使者。
mi- nis- tres de la mort!

Tempo I

我毫不祈求你那冷酷的怜悯，我毫不祈求，我毫不祈求
Je n'in- vo- que- rai point vo- tre pi- tiè cru- el- le, je n'in vo que-rai point, je n'in- vo- que- rai point

你那冷酷的怜悯。

vo- tre pi- tiè cru- el - - - - le.

你那冷酷的怜悯。

vo- tre pi- tiè cru- el- le.

p **Un poco Andante**

他的悲惨遭遇，

J'en- le- ve un ten- dre é- poux

使我失去了丈夫，让我的青春伴随着

à son fu- nes- te sort, mais je vous a- ban-don-ne une- é-

你去，让我的青春伴随着你去，

pou- se, mais je vous a- ban- don- ne une e- pou-

Lento **Andante**

伴随你去。冥河里的水

se fi - dè- le. Di- vi- ni- tés du

神，冥河里的水神，
Styx, di- vi- ni- tes du Styx,

Lento

死亡的使
mi- nis- tres de la

Andante espressivo

者！为所爱的人去死，我非常
mort! Mou- rir pour ce qu'on ai- me, pour ce qu'on

愉快，使我非常愉快。纯贞的
ai - - me, est un trop doux ef- fort, u- ne ver-

爱情鼓舞着我，给予我勇气，也
tu si na- tu- rel- le, si na- tu- rel- - le! Mon

给予我力量。爱情带给我力量和勇
coeur est a- ni- mé! du plus no- ble, du plus no - ble trans-

Presto

气。 崇高的激情鼓舞
port. Je sens u- ne for - ce nou-

着我， 我感到一种新的
vel- le, je vais où mon a- mour - m'ap -

力量。 崇高的激情鼓舞
pel- le. je sens u- ne for - ce nou-

着我， 我感到一种新的
vel- le, je vais, où mon a- mour m'ap -

力量。 我要去到那里，
pe- le: mon coeur est a- ni- mé

爱人招手的地方。
du plus no ble trans- port.

4/4 0 5 5 5 5. 5 | 1 - - - | 0 7 7 7 7. 2 |

冥河里的水神，冥河里的水

Di- vi- ni- tés du Styx, di- vi- ni- tés du

Adagio

4 - - - | (3 3 0 1 0 6) #4 | 5 - - 5 |

神，死亡的

Styx, mi nis - - trés

Tempo I

5 - - 6 | 5 - 0 2 7 | 1 2 3 4 - |

使者！我毫不祈求

de la mort! Je n'in- vo- que- rai point

2 2 2 5. 5 | 3 - 1 (5 5 | 5 5 5 1) 5 5 |

你那冷酷的怜悯。我毫

vo- tre pi- tie cru- el le je n'in-

5 5 5 (1 1 1 | 1 1 1 3) 1 1 | 1 1 1 3 - |

不祈求，我毫不祈求

vo- que- rai point, je n'in vo- que- rai point

4 5 6 5. 5 | 1 - - - | 5 - - - |

你那冷酷的怜悯。

vo- tre pi- tiè cru- el el,

4 5 6 5. 7 | 1 - 1 0 ‖

你那冷酷的怜悯。

vo tre pi- tiè cru el - - le.

「后记」

为了弘扬中国传统文化，挖掘发展中华水文化，河海大学结合自身的办学特色，在开展水文化研究的基础上，组织编写了《水文化教育丛书》。丛书的根本要旨，在于通过水文化知识的普及和教育，提高人们对水的战略地位的认识，以带动全社会水意识的觉醒和提升；教育人们树立科学发展的水利观，以增强对水的忧患意识；培养人们爱水、节水、护水、亲水的情怀，以养成良好的水文化行为习惯；帮助人们提升水利工程建设中的文化自觉性，以确立人水和谐的科学发展理念。

《丛书》分为10个分册，分别为：《100条江河湖泊》，主编：吴胜兴，副主编：顾圣平、贺军；《100座城市与水》，主编：郑大俊，副主编：刘兴平、钱恂熊；《100项水工程》，主编：吴胜兴，副主编：沈长松、孙学智；《100例水灾害》，主编：颜素珍，副主编：唐德善、汤鸣鸿；《100位水利名人》，主编：王如高，副主编：刘春田、陈家洋；《100首水歌曲》，主编：蔡正林，副主编：刘兴平、沈俐；《100种水用具》，主编：王培君，副主编：戴玉珍、贺杨夏子；《100处水景观》，主编：蒲晓东，副主编：张彦德、潘云涛；《100篇咏水诗文》，主编：尉天骄，副主编：林一顺；《100个水传说》，主编：张建民，副主编：莫小曼、郑如鑫。

《丛书》封面上"水文化"三个字由水利部原副部长敬正书同志题写。在《丛书》的编写过程中，为了充分反映不同时期有关水文化的经典之作，各分册的编写人员通过多种途径，参阅和收集了大量的文献资料。这些文献资料对于进一步传播、发展和弘扬水文化，进一步提升人们的水文化素养具有重要价值。在此，我们对这些文献资料的奉献者表示衷心的感谢。

与此同时，我们还要说明的是，《丛书》各分册选列的是主要参考文献，未能详尽所有文献，在选引中也会有遗漏不全之处，亦敬请各位作者谅解。